Einaudi Tascabili. Stile libero
1047

Dello stesso autore nel catalogo Einaudi

*Almost Blue*
*Il giorno del lupo*
*Mistero in blu*
*L'Isola dell'Angelo caduto*
*Guernica*
*Un giorno dopo l'altro*
*Lupo mannaro*
*Laura di Rimini*
*Falange armata*

*Medical Thriller*
(con Eraldo Baldini e Giampiero Rigosi)

# Carlo Lucarelli
# Misteri d'Italia
## I casi di *Blu Notte*

Postfazione di Giorgio Boatti

www.einaudi.it

ISBN 88-06-15445-1

# Misteri d'Italia

*Alla piccola lettrice,*
*che qualche mese fa,*
*al* Festival *della Letteratura di Mantova,*
*mi disse una cosa bellissima*
*facendomi firmare* Febbre Gialla
*in un ristorante del centro.*
*Non so se questo libro ti piaccia,*
*ma non importa,*
*perché anche quelli che scriverò dopo*
*saranno comunque tutti per te.*
*Puoi scegliere quello che vuoi.*

Michele Sindona
*Varazze, 20 marzo 1986*

Ci sono misteri, nella storia d'Italia, che sembrano destinati a non avere mai soluzione. Sono quelli che coinvolgono ambienti diversi, diversi strati della società, diversi livelli, persone diverse, cosí che quando si comincia a scoprire qualcosa, a sollevare un angolo del velo che nasconde tutto, c'è sempre qualcuno, da un'altra parte, che ha paura e che fa qualcosa per mantenere quel velo.

A volte questi misteri hanno il nome di un uomo, il volto di una persona, una fisionomia concreta fatta di occhi, naso e bocca, che dovunque ti giri, qualunque pista segui o qualunque carta sollevi, la trovi nascosta dietro. Cosí presente e cosí nominata che l'ombra che getta su questi misteri sembra quella di un essere sovrannaturale, di uno spirito malvagio, del Diavolo.

Questa sera parliamo di un diavolo.

Uno strano diavolo che per piú di trent'anni ha fatto scivolare la sua ombra tra i piú neri Misteri d'Italia, cosí presente e cosí nascosto dietro ogni scandalo e ogni intrigo, da sembrare davvero un essere sovrannaturale, uno spirito malvagio. Segui una traccia, imbocchi una pista, sollevi una carta ed eccolo lí, ghignante e misterioso. Come un diavolo. Se fosse un romanzo, questo Mistero d'Italia sarebbe un romanzo di John Grisham, come *Il socio*, se fosse un film sarebbe *L'avvocato del Diavolo*, di Taylor Hackford, con Al Pacino, ma in tutti e due i casi con un finale diverso, piú imprevedibile.

Il Diavolo, questa volta ha una faccia, e anche un nome e un cognome.

Si chiama Michele Sindona.

Questa è la sua storia, la storia di quello che ha fatto e di quello che avrebbe voluto fare, e anche quella degli uomini che riuscirono a impedirglielo.

Per raccontare la sua storia cominciamo dalla fine.

Ed è un mistero anche quello.

È il 20 marzo 1986 e siamo nel V reparto del carcere femminile di Voghera, in provincia di Pavia. È un reparto particolare, approntato all'interno del carcere e destinato a ospitare un detenuto solo. Un detenuto speciale. Talmente speciale che per lui sono state prese misure di sicurezza eccezionali.

Per arrivare fino a lui, c'è un percorso sbarrato da porte blindate e guardie che controllano e perquisiscono chiunque. Nel corridoio ci sono telecamere a circuito chiuso che seguono giorno e notte chi entra e chi esce. Ci sono quindici guardie che si occupano soltanto di lui, divise in cinque turni e a rotazione continua, in modo che non possano sapere prima quando andranno a sorvegliare quel detenuto. I suoi pasti, poi, sono controllatissimi: prelevati dalla mensa comune a tutti gli altri detenuti, chiusi a chiave in un contenitore e portati direttamente in cella.

Cosí dalla fine del 1985, tutti i giorni, tutti i giorni sempre uguali, con quell'uomo chiuso nella sua cella a fare sempre le stesse cose, studiare gli atti giudiziari, leggere la Bibbia, scrivere lettere su una piccola scrivania fissata al pavimento.

Sempre le stesse cose, per tutta la vita.

Fino a quel 20 marzo.

Quel giorno le cose vanno diversamente.

Sono le 8.00 di mattina e come al solito avviene il rito sorvegliatissimo della colazione. Il caffè è preparato dalla macchina espresso dello spaccio del carcere. Viene messo in un thermos scrupolosamente pulito con il getto a vapore e chiuso a chiave in un contenitore di metallo, assieme al tè, al latte e ad alcune bustine di zucchero. Gli agenti Ribbisi e Boi ritirano il contenitore e vanno al V reparto, assieme ai colleghi Ghisu e Camboni e al brigadiere Bucci, che comanda quel turno di guardia. Il contenitore viene aperto e la colazione consegnata al detenuto speciale. È lui stesso che la prepara sulla soglia della cella, che versa il tè, il caffè e il latte e che se li porta dentro.

Qui, con in mano il bicchierino di plastica che contiene il caffè, il detenuto entra nel bagno.

Passa un minuto, non di piú. L'ordine è quello di non perderlo di vista un momento e l'agente Boi si avvicina allo spioncino che dà sul bagno, ma è troppo tardi.

Il detenuto torna nella cella, barcolla, sta male, evidentemente. Poi crolla sul letto e pronuncia chiaramente una frase, una sola.

«Mi hanno avvelenato».

*Il materiale di repertorio ha i colori appannati degli anni Ottanta. Nel corridoio dell'Ospedale di Pavia, davanti alla targhetta del Reparto di Rianimazione, Antonio Di Bella ha fermato il direttore sanitario, il professor Francesco Nitrosini, e gli ha chiesto se c'è qualcosa di nuovo.*

*«No, di nuovo non c'è niente – dice il professore, – il malato è sempre in coma profondo, direi ormai dépassée... non c'è piú niente da sperare». Poco dopo è di nuovo il professore, circondato da medici e carabinieri, a dare l'annuncio ufficiale davanti ai microfoni dei giornalisti.*

*«Comunichiamo che alle ore 14 e 10 del 22 marzo '86 il paziente Sindona Michele è deceduto».*

*L'ultima immagine di repertorio è in bianco e nero. Il paziente deceduto è su una barella, a volto scoperto, portato via da quattro carabinieri in divisa. Il suo volto bianchissimo e il suo naso adunco spiccano sullo sfondo scuro di un pezzo di strada in costruzione, che visto cosí, isolato dall'inquadratura della fotografia, sembra l'angolo in macerie di una città bombardata.*

«Mi hanno avvelenato», ha detto l'uomo appena uscito dal bagno.

Ma come è possibile, con tutta quella sorveglianza? E perché qualcuno avrebbe dovuto farlo?

Chi è il detenuto speciale rinchiuso nel V reparto?

Il suo nome, lo abbiamo sentito, è Michele Sindona. Ma chi è, veramente, Michele Sindona?

Ecco, il vero mistero di tutta questa storia sembra proprio lui.

Michele Sindona.

Quando muore in carcere, Michele Sindona ha 66 anni.

Era nato a Patti, in provincia di Messina, nel 1920. Esiste un ritratto di lui da giovane, fatto dallo scrittore Vincenzo Consolo sul «Corriere della Sera».

«Era un ragazzo appartato e taciturno, non timido, presumibilmente, ma di quelli che in Sicilia si chiamano *masticaferro*, che disdegnano, cioè, amicizie e compagnonerie, che denunciano nel pallore del volto ambizione e determinazione».

Ambizione e determinazione, di sicuro il giovane Sindona le ha tutte e due. Dopo il liceo si laurea in Legge, torna a Patti a fare il praticante da un avvocato poi si sposta a Messina, dove apre uno studio da commercialista. La guerra intanto sta finendo e il giovane Sindona fa carriera.

Apre uno studio anche a Milano e vola negli Stati Uniti: Milano-New York, l'attività di Michele Sindona si muove tra i due continenti ed è un'attività di enorme successo, che gli permette addirittura di acquistare la quota di una banca, la Banca privata finanziaria.

Sono successi straordinari anche per un geniale uomo d'affari. Sembra davvero che Michele Sindona, il giovane commercialista di Patti, abbia venduto l'anima al Diavolo. Sembra davvero un romanzo di John Grisham, e come in tutti i romanzi di suspense e di intrighi, prima o poi arriva il colpo di scena.

Ma aspettiamo un momento, prima del colpo di scena. Lasciamo Sindona ai suoi successi e introduciamo un altro personaggio in questa storia. Un personaggio del tutto diverso. Non è un Diavolo, anzi, è un uomo onesto, un funzionario dello Stato. Si chiama Giorgio Ambrosoli, è di Milano e a differenza di Sindona non sembra affatto un uomo ambizioso e determinato.

Quando avvengono i fatti che stiamo per raccontare ha quarant'anni, anche se ne dimostra qualcuno in piú, come accadeva ai quarantenni di allora, e soprattutto ai quarantenni come lui, milanese, stempiato, con i baffi neri e un serio abito scuro da persona perbene, perché è un avvocato specializzato in questioni finanziarie, non molto noto, e senza particolari amicizie o coperture politiche.

Un uomo tranquillo, un uomo perbene. Un uomo come tanti. Per adesso mettiamolo da parte.

Ma ricordiamocelo.

Torniamo a Sindona e ai suoi successi.

Siamo all'inizio degli anni Sessanta e i successi di Michele Sindona sembrano inarrestabili. È saldamente installato nel salotto buono della finanza milanese, in cui viene considerato una specie di mago grazie alle sue spregiudicatissime e geniali incursioni in Borsa. La sua Banca privata finanziaria si associa ad altri istituti di credito, come la Finabank di Ginevra, di cui il Vaticano è uno dei titolari; la Continental Illinois di Chicago, anche questa retta da un uomo di chiesa, il cardinale Marcinkus, e anche lo Ior, l'Istituto per le opere religiose, comunemente conosciuto come la Banca vaticana.

Con il Vaticano, Sindona ha un'amicizia di lunga data, che risale almeno al 1954, quando conosce l'arcivescovo di Milano, monsignor Montini, poi papa Paolo VI, che lo mette in contatto con la finanza cattolica. Per il Vaticano, Sindona si occupa di spostare all'estero parte dei soldi che si trovano nei suoi conti correnti e gli enormi profitti che ne derivano, in modo da non pagare le tasse che il governo italiano ha cominciato a richiedere. È un'operazione piuttosto spregiudicata, quasi al limite della legalità, ma come sembra che abbia detto lo stesso cardinale Marcinkus, «la Chiesa non si regge con un Ave Maria». In ogni caso, Michele Sindona viene elogiato da papa Paolo VI come «l'uomo della Provvidenza».

Non è l'unico elogio che riceve in quegli anni di ascesa inarrestabile.

Nel 1973 rivela l'esistenza di una manovra speculativa di un consorzio internazionale di banche ai danni della lira, cosí che durante un ricevimento Giulio Andreotti, allora Presidente del Consiglio, lo chiama «Salvatore della Lira». Non basta, autorevolissimi giornali finanziari americani parlano di lui. Il «Business Week» lo definisce «il finanziere italiano di maggior successo», «Fortune» lo esalta «come uno dei piú geniali uomini d'affari del mondo», «Times» gli dedica profili e ritratti. L'ambasciatore americano John Volpe lo dichiara «Uomo dell'anno 1973».

Sembra che vada tutto bene per Michele Sindona, genio della finanza internazionale.

E invece no.

È il 1974, siamo in aprile.

Sono in ribasso sia il mercato azionario sia il cambio del dollaro. Sindona ha un improvviso bisogno di liquidità per le sue banche e annuncia che il capitale della Finambro, il polmone finanziario dei suoi istituti di credito, è aumentato da 10 milioni a 200 miliardi. La Banca d'Italia, però, non ci vede chiaro: dove sono quei soldi? Da dove escono? Ci sono davvero?

Lo stesso sta accadendo in America, con la Franklin Bank: dove sono i soldi? Le banche di Sindona sono in attivo o sono in perdita? E se sono in perdita, a quanto ammontano i buchi?

È l'inizio di quello che viene chiamato il crack Sindona. Tutti i buchi e tutte le perdite dei suoi istituti di credito vengono a galla sia in America che in Italia. Sindona cerca aiuto, si rivolge ad Andreotti e a Fanfani, ma non serve a niente.

Il 27 settembre del 1974 il ministro del Tesoro Ugo La Malfa dichiara il fallimento della Banca Privata e la sua messa in liquidazione. L'8 ottobre crolla anche la Franklin Bank, ed è la piú grande catastrofe bancaria della storia americana. Tra l'ottobre del 1974 e il gennaio del 1975, la seguono una dietro l'altra le altre banche europee legate a Sindona: la Bankhaus Wolff di Amburgo, la Herstatt di Colonia, la Amicor di Zurigo, la Finabank di Ginevra.

In Italia, la procura di Milano apre un'inchiesta.

E per Sindona, spicca subito un mandato di cattura per bancarotta fraudolenta.

*Adesso il repertorio è in bianco e nero, perché siamo negli anni Settanta. C'è un giovane Jas Gawronski, di spalle, e davanti a lui, seduto alla sua scrivania, in completo scuro e cravatta a quadrettini, Michele Sindona. Sembra abbastanza tranquillo nel rispondere al giornalista, e occhieggia anche alla telecamera, sorridente. Ma ogni tanto il suo volto magro e affilato è scosso da un tic, una specie di ghigno incontrollabile, che gli piega gli angoli delle labbra in un sorriso stirato.*

*«Prima di tutto – dice Sindona, – ho sostenuto che il fallimento della Banca Privata era stato dichiarato senza che ve ne fossero fondati motivi».*

*Parla a scatti, Michele Sindona, facendo una pausa quasi dopo ogni verbo, come se parlasse in versi. A ogni sosta, la voce riprende con piú forza, squillante, fino alla pausa successiva. Si sente che parla per farsi capire da qualcuno.*

*«Si è ricorso al fallimento per depredarmi di tutto, sia in Italia che in Svizzera, dove io regolarmente, uno dei pochissimi italiani, avevo debiti. Lei sa che mentre è noto che i capitali vanno via dall'Italia in bianco, in nero e in rosso, io ero uno dei pochi italiani che ha sempre importato capitali in Italia. Come premio, io oggi mi trovo in esilio».*

A fare luce sulle irregolarità delle banche di Sindona viene chiamato un uomo. Lo abbiamo già visto prima.

È Giorgio Ambrosoli, e quando il governatore della Banca d'Italia Guido Carli lo convoca per affidargli il mandato di commissario liquidatore della Banca Privata di Sindona, Ambrosoli un po' si stupisce. È da solo, è l'unico commissario liquidatore di quell'enorme pasticcio, lui, un onesto professionista senza legami politici, senza le spalle coperte, con un nome molto stimato ma poco noto. Lo dice anche alla moglie, per telefono, subito dopo il colloquio con Carli: «Sono solo, sarò l'unico commissario liquidatore».

Solo.

Ma Ambrosoli è un funzionario coscienzioso, scrupoloso e zelante, uno che non si fa spaventare né dal lavoro né dalle responsabilità. Accetta l'incarico e il 27 settembre 1974, il giorno stesso della sua nomina, entra negli uffici della Banca Privata e ne esce soltanto all'alba del giorno dopo. È un ritmo di lavoro che manterrà costante per quasi cinque anni, fino al luglio 1979.

C'è da immaginare che fin da quella prima alba, quando esce per le strade di Milano, solo come sempre, sotto la luce pallida dei lampioni che si stanno spegnendo, Giorgio Ambrosoli sia già abbastanza sconvolto per quello che sta emergendo tra le carte di Sindona.

Che cosa c'è nelle carte di Sindona?

Ambrosoli lo scopre passo dopo passo, tra mille difficoltà e reticenze, in un'indagine che dura cinque anni. Ad aiutarlo ci sono quattro uomini della Guardia di finanza: il maresciallo Novembre, che comanda il piccolo nucleo, il maresciallo Carluccio e i brigadieri Gotelli e De Gennaro.

Ambrosoli e i suoi spulciano tutte le carte, annotano dati e nomi su brogliacci che diventano sempre piú numerosi, tracciano schemi e stendono carte geografiche su cui segnano banche, società e finanziarie legate a Sindona, molte delle quali si trovano in paradisi finanziari come il Lichtenstein, le isole Cayman, Nassau. Trasferimenti di fondi di industriali che lavorano in nero, proventi di attività illegali, fondi particolari dei servizi segreti, soldi che dalle banche italiane di Sindona passano alle sue consociate all'estero, vengono investiti in altre attività e poi tornano indietro puliti, come proventi di attività legali, contabilizzati in bilanci falsi o stornati durante il percorso in fondi neri. Operazioni estero su estero con le consociate come la Continental Illinois e lo Ior del Vaticano, fondi fiduciari, compravendita di azioni, speculazioni sui cambi, finanziarie e banche che non sono altro che scatole vuote, nomi che servono soltanto a nascondere soldi.

È quello che viene chiamato «il sistema Sindona».

*Di nuovo a colori, il repertorio. È Giorgio Ambrosoli che parla. Appoggiato alla scrivania del suo ufficio, che è piccola, di legno chiaro. Sta un po' di traverso e ogni tanto si schiarisce la voce, interrompendo la sua cadenza lombarda, come se la telecamera lo metta un po' in imbarazzo.*

*«Sindona non lo ritengo un'eccezione troppo rara. Di Sindona probabilmente ce ne sono altri in giro. Cambia il nome, cambia la faccia ma la sostanza rimane. L'errore è il sistema che consente la costruzione di imperi come quelli di Sindona, imperi non costruiti su aziende, sulla produzione, ma solo sulla speculazione».*

Una prima stima delle perdite della Banca Privata le calcola a 300 milioni di dollari, milioni di allora, degli anni Settanta, e crescono ancora.

All'estero è ancora peggio. Il crollo della Franklin Bank è stimato a 2 miliardi di dollari. Quello della Finabank di Ginevra conta una perdita di 240 milioni di dollari soltanto per gli investimenti fatti dal Vaticano. Sono un sacco di soldi. Scomparsi, spariti, svaniti nel nulla. Ci si chiede che fine abbiano fatto quei soldi, chi se li sia messi in tasca e per cosa siano stati utilizzati.

In parte sono finiti in tasca a Sindona e a un discreto

numero di investitori piuttosto spregiudicati. Uno di questi, lo abbiamo visto, è lo stesso Vaticano, ma ce ne sono altri, almeno 530. Sindona li registra scrupolosamente in una lista, la *lista dei 500*, appunto, che tiene nascosta e segreta.

*Michele Sindona è sempre in bianco e nero, quasi fosse un personaggio del passato, che però resta ancora vivo nel presente, come un fantasma. Qui è secco e lapidario, col suo sorriso tirato.*

*«Non esiste, non è esistita e non esisterà mai una lista dei 500».*

Lui dice che non esiste, e va bene. Ma noi ricordiamocela lo stesso, quella lista, perché la ritroveremo dopo.

Oltre che a riempire le tasche di qualcuno, il sistema Sindona serve anche a qualcos'altro, qualcosa di piú sinistro e agghiacciante. È qualcosa che ha a che fare con la giovinezza di Michele Sindona, con i primi passi mossi da commercialista quando ancora stava a Messina. È in quegli anni che Michele Sindona si trasforma.

È allora che vende l'anima al Diavolo.

È il 1943, la guerra si sta mettendo male per i tedeschi e gli americani stanno progettando di invadere l'Italia partendo dalla Sicilia. Per agevolare l'operazione hanno costituito un gruppo segreto, la «Sezione Italia», che si muove sull'isola grazie ai contatti procurati da un vecchio boss mafioso di New York, Lucky Luciano. I contatti di Luciano sono i mafiosi di Sicilia, che appoggiano l'invasione. I mafiosi di Sicilia lavorano in stretta collaborazione con gli agenti della «Sezione Italia». Tra questi c'è anche un giovane aspirante avvocato di nome Michele Sindona.

La Mafia e i servizi segreti americani. Sono i contatti di

Sindona negli anni della guerra, e sono contatti e amicizie che restano anche dopo, quando va negli Stati Uniti assieme a un ufficiale dei servizi americani poi torna in Italia. Come fiscalista ha clienti importanti che si chiamano Daniel Porcu, Jack Adonis, Vito Genovese, la famiglia Gambino… nomi che compaiono sulla stampa americana e nelle commissioni di inchiesta del Senato come noti esponenti della Mafia.

Dagli anni Cinquanta Michele Sindona è legato alla Mafia. Le sue fortune sono iniziate col piazzare, legalizzare e accrescere il patrimonio degli uomini d'onore americani. Alla fine degli anni Sessanta un'informativa della polizia americana lo indica come direttamente implicato nel traffico di stupefacenti tra l'Italia e gli Stati Uniti.

È da lí che vengono molti dei soldi che girano nel sistema Sindona.

Dalla Mafia.

*Sindona, ridendo:*

*«Non ho mai partecipato a nessuna riunione mafiosa, non ho mai conosciuto un uomo mafioso, o meglio, non ho mai saputo di averne incontrato qualcuno».*

*Allarga le braccia: «Se l'ho incontrato senza conoscerlo, può darsi».*

Altri soldi servono a costituire fondi neri per finanziare partiti politici, giornali, campagne d'opinione, e anche qualcosa di peggio.

Nell'aprile del 1974 due miliardi – miliardi di lire di allora – finiscono nelle casse della Dc attraverso una serie di libretti anonimi al portatore. Altri undici milioni di dollari, sempre milioni di allora, attraverso lui passano dalla Cia al generale Vito Miceli, il capo del Sid, il servizio segreto italiano, e secondo la Commissione d'inchiesta del Senato degli Stati Uniti vanno a ventuno uomini politici italiani di fiducia. La Finabank di Sindona fa un prestito di quattro milioni di dollari alla Helleniki Tekniki, una società collegata al gruppo di colonnelli che con un golpe prenderà il potere in Grecia. Poi Sindona finanzia la Rosa dei Venti, un'organizzazione segreta composta da militari e civili che ha il compito di destabilizzare la scena politica italiana.

E la P2 di Licio Gelli, una società segreta che quando verrà scoperta rivelerà tra i suoi membri tre ministri della Repubblica, il capo di stato maggiore della Difesa, i capi dei servizi segreti, trentuno generali delle tre Armi, della Polizia e della Guardia di finanza, diciotto magistrati, prefetti, diplomatici, alti funzionari dei ministeri, parlamentari, banchieri, professori universitari e giornalisti, compreso il direttore del «Corriere della Sera» e quello del Tg1 di allora.

Uno Stato nello Stato, coordinato dal commendator Licio Gelli.

*L'intervista a Licio Gelli è a colori, colori ancora vividi, come se non si fossero mai appannati, mai spenti dal tempo. Il giornalista gli chiede chi gli abbia presentato Michele Sindona e Gelli risponde con pacata lentezza, come sempre.*

*«Mah. Non ricordo. È la verità perché sono passati tanti anni, sono passate migliaia di persone, personaggi piú importanti di Sindona... e come faccio a ricordarmi chi me lo presentò. Tuttavia tengo a precisare che mi presentò Sindona una persona molto onorevole».*

*Parla sempre cosí, Licio Gelli, in tutte le interviste. Lentamente, ponderando le parole, tanto che il suo accento toscano d'Arezzo si sente appena ogni tanto. E c'è anche un'al-*

*tra cosa che si sente, l'impressione, la sensazione, che le sue parole, come quelle di Sindona, siano sempre rivolte a qualcun altro. Come quando una giornalista lo ferma al volo, dopo che la magistratura di Bologna ha incluso anche lui negli indagati per la strage alla stazione. La prima parte della frase si vede che è spontanea, una risposta data a caldo, senza avere ancora il tempo di costruire il pensiero.*

*«Bologna. È stata per me una tragedia da suicidio. Le pare possibile, semplicemente, accostarla a me? È la cosa piú assurda, non avrei mai pensato che un essere umano arrivasse a questo punto, perché quello che ha formulato queste accuse per me è un folle...»*

*La giornalista fa per allontanarsi, ma Licio Gelli ricomincia a parlare e lei si blocca, riportandogli il microfono sotto la bocca. C'è ancora un altro pezzo di dichiarazione, quella per cui c'è stato tempo di pensare.*

*«E questa follia dovrò chiarirla, perché eventualmente non si allunghi ancora e possa colpire altre persone».*

*A noi, però, adesso interessa il caso Sindona. Nella sua intervista dai colori ancora vivi, il giornalista gli chiede qualcos'altro: cosa ne pensa di Michele Sindona.*

*«Non è che ne faccio una valutazione io, l'hanno fatta degli eminenti professori universitari – risponde Gelli. – Era un uomo di grandi capacità intellettive, particolarmente portato alla finanza e secondo la mia valutazione sarebbe stato un magnifico ministro delle Finanze o governatore della Banca d'Italia».*

Ministro delle Finanze o governatore della Banca d'Italia. Se la P2 non fosse stata scoperta e denunciata, forse avremmo avuto Michele Sindona nel governo. Questo è piú di un romanzo giallo, piú di John Grisham.

Ma torniamo al caso Sindona. Lo abbiamo visto, sono in mezzo a un sacco di cose, Sindona e le sue banche.

E lui, Michele Sindona, dov'è?

Mentre l'avvocato Ambrosoli, da solo, come liquidatore unico, tira l'alba negli uffici della Banca Privata assieme ai finanzieri del maresciallo Novembre, che cosa fa Sindona?

Il 4 ottobre la magistratura emette un mandato di cattura nei confronti di Michele Sindona. Licio Gelli, che è venuto a saperlo da membri della P2 che stanno negli uffici giusti, lo avverte il giorno prima. Sindona, da parte sua, ha provveduto a diventare cittadino svizzero e quando dovrebbero scattare le manette è già a Ginevra. Da lí vola negli Stati Uniti, dove viene arrestato per il crack della Franklin Bank. Paga una cauzione record di tre milioni di dollari, esce e parte al contrattacco.

La prima cosa che deve fare è evitare l'estradizione in Italia. Lo fa iniziando un giro di conferenze che dovrebbero rilanciarlo come un grande finanziere internazionale e rilasciando dichiarazioni che attribuiscono le sue sventure a un complotto politico di sinistra, a gente che ce l'ha con lui per le sue fortune finanziarie e per il suo deciso anticomunismo.

La seconda è rinsaldare attorno a sé tutte le conoscenze, le amicizie e le persone che gli devono qualcosa. Se ne occupano il suo avvocato, Rodolfo Guzzi, e un amico che di pubbliche relazioni se ne intende: Licio Gelli. Dagli Stati Uniti arrivano i rinforzi: gli avvocati Paul Rao e Philip Guarino. Vanno subito a trovare Giulio Andreotti, allora Presidente del Consiglio, per chiedergli a nome della comunità italoamericana d'America di ritardare la richiesta di estradizione a carico di Sindona. Che intanto si fa mandare pubbliche attestazioni di stima da personaggi della politica e dell'economia, come Edgardo Sogno, ex ambasciatore, o Anna Bonomi, protagonista della finanza italiana, uomini politici come Flavio Orlandi, del Psdi, e anche un presidente della Corte di cassazione come Carmelo Spagnuolo.

E da Licio Gelli, naturalmente.

Molti di questi appartengono alla P2 e tutti confermano in dichiarazioni giurate che Sindona è una brava persona, un finanziere geniale, un perseguitato politico che se rientrasse in Italia non avrebbe un equo processo.

*Dondola sulla poltrona, Michele Sindona, lentamente, mentre risponde a Jas Gawronski che gli chiede delle sue coperture politiche. Senza quelle, senza agganci in Italia, come avrebbe fatto uno come lui ad arrivare dove è arrivato?*

*«Lei vuol parlare forse di scoperture politiche, non di coperture. Io non ho mai avuto nessuna copertura politica e forse lavorando in Italia questo è stato un grave errore». Guarda un attimo in alto, come se gli fosse venuta in mente una cosa, stira le labbra in quel suo ghigno strano e poi aggiunge: «Se io avessi avuto delle coperture politiche sarei a circolare per le vie di Roma liberamente, come fanno i petrolieri e i cementieri».*

La terza cosa che fa Sindona è varare una serie di salvataggi, di giochi finanziari, di quei trucchi in cui è maestro, per chiudere i buchi delle sue banche e salvarsi da un processo per bancarotta. Se riesce a sistemare le cose in Italia ha buone probabilità che anche in America abbiano con lui la mano leggera.

I progetti di sistemazione della Banca Privata di Sindona sono tanti. Uno di questi richiede l'appoggio di Enrico Cuccia, amministratore delegato di Mediobanca, che lo definisce «un papocchietto». Come gli altri, anche Cuccia viene sottoposto a pressioni, ricattato. Qualcuno dà fuoco alla porta del suo ufficio. Gli telefonano la notte, gli arrivano minacce, è costretto a volare fino a New York per incontrare Sindona che dice che farà uccidere sia lui che Ambrosoli. Cuccia tergiversa, asseconda, prende tempo e riesce a defilarsi, senza rivelare niente a nessuno, neppure ad Ambrosoli. Non ha fiducia nello Stato, al processo che si terrà in seguito dice che parlare non servirebbe a niente.

*È veramente curvo, Enrico Cuccia, anche nelle immagini di repertorio che lo vedono deporre al processo, davanti a Michele Sindona che lo guarda da dietro le sbarre. Tutto in bianco e nero, ancora. Quando c'è Sindona le immagini sono sempre cosí. Cuccia si ferma davanti alla Corte, per farsi identificare, curvo curvo e con un fascio di carte sotto braccio, poi va a sedersi al suo posto, e parla al microfono. Prima, durante il processo, aveva detto: «Non ho voluto parlare perché ho sempre pensato che in questa materia il silenzio è ancora la difesa migliore. Sono della convinzione che meno gente si occupa del problema e maggiori possibilità hai di cavartela. Per quanto riguarda la minaccia al compianto Ambrosoli devo dire che non l'ho fatto perché non avevo il modo. Avrei avuto una denuncia per calunnia e sarebbe stata la sola cosa che avrei potuto avere».*

*Adesso, invece, al giudice dice: «Mi ricordo che a quattr'occhi il Sindona mi fece dichiarazioni che volevano confermare quanto serie fossero le sue minacce, e come lei sa mi fu anche detto che avrebbe fatto scomparire l'avvocato Ambrosoli, ma ho l'impressione che volesse dire che lui... le minacce erano minacce serie quelle che lui faceva, e quindi, la sostanza...»*

*Sembra imbarazzato, Enrico Cuccia, ancora spaventato,*

*borbotta nel microfono. Sindona lo guarda torvo, e il suo ghigno, questa volta, un po' fa paura. Poi sembra essersi accorto della telecamera, alza una spalla e sorride, scuotendo la testa, come per dire: «Sciocchezze»...*

Nessuno dei progetti di Michele Sindona riesce a vedere la luce. Perché sono irregolari, sono dei trucchi e non funzionerebbero.

A capo della Banca d'Italia ci sono altre due brave persone, gente come Giorgio Ambrosoli, gente perbene. Il governatore Paolo Baffi e Mario Sarcinelli, responsabile dell'Ufficio di vigilanza, si oppongono ai piani di salvataggio delle banche di Sindona.

Che a questo punto fa come al solito: ricatta, minaccia di rivelare affari sporchi, manda memorandum.

Il 28 settembre del '76 scrive ad Andreotti: «La mia difesa avrà, come può immaginare, due punti di appoggio, quello giuridico e quello politico. Sarò costretto mio malgrado a presentare, per capovolgere in mio favore la situazione, i reali motivi per cui è stato emesso a mio carico un ingiusto mandato di cattura. Farò cioè presente, con opportune documentazioni, che sono stato messo in questa situazione per volontà di persone e gruppi politici a lei noti, che mi hanno combattuto perché sapevano che combattendo me avrebbero danneggiato altri gruppi a cui avevo dato appoggio con tangibili e ufficiali interventi. Ritengo che la chiusura di situazioni difficili e complesse che coinvolgono anche enti e istituzioni di Stato, possa, nell'interesse della collettività e del Paese, starle a cuore».

«Sarò costretto mio malgrado», «opportune documentazioni», «tangibili e ufficiali interventi», «interesse della collettività e del Paese»... è un linguaggio oscuro, quello di Michele Sindona, oscuro e chiarissimo.

Andreotti, da parte sua, smentisce di aver mai fatto parte del gruppo di chi cercava di salvare Sindona.

*Anche lui è curvo, come è sempre stato. Questo è un altro processo, che lo vede come imputato, e in cui si parla molto anche di Sindona. Andreotti prende posto davanti ai giudici e scandisce nel microfono: «In una statistica comparativa degli incontri si vedrebbe che con Giorgio La Pira, con Carlo Gnocchi, con Madre Teresa mi sono visto un numero di volte enormemente maggiore rispetto a Michele Sindona e a Licio Gelli».*

Anche i giudici di Palermo, che assolveranno Andreotti dall'accusa di collusione con la Mafia, parlano di questo argomento. Dicono che si sono visti, Andreotti e Sindona, e che Andreotti ha aiutato Sindona per «ragioni politiche, connesse ad esempio ai finanziamenti erogati da Sindona alla Dc, ovvero da pressioni esercitate sul senatore Andreotti da ambienti massonici facenti capo al Gelli».

Andreotti continua a smentire con decisione.

Intanto, il gruppo degli amici di Sindona si mobilita e lancia un'offensiva contro i vertici della Banca d'Italia. Paolo Baffi e Mario Sarcinelli vengono accusati di interesse privato in atti d'ufficio e favoreggiamento personale. Su ordine dei giudici Antonio Alibrandi e Luciano Infelisi, Sarcinelli viene arrestato e sospeso dal suo incarico. Sono accuse ingiuste, che cadono presto.

*Nel filmato che lo vede uscire dal carcere, Mario Sarcinelli ha la faccia stanca e si aggiusta continuamente gli occhiali che gli scivolano sul naso. Ha attorno i giornalisti che vorrebbero intervistarlo ma non dice niente. A un certo punto, nel filmato del telegiornale, quando lo speaker commentando le immagini dice: «Si attendono sviluppi dopo la decisio-*

*ne del Consiglio superiore della Banca d'Italia di revocare la sospensione al vicedirettore Mario Sarcinelli», Sarcinelli sorride, quasi come se lo avesse sentito.*

*È un sorriso malinconico.*

Verranno prosciolti tutti e due l'11 giugno del 1981, sia Baffi sia Sarcinelli. Ogni addebito si rivela inesistente.

Intanto, però – anche senza telefonate anonime, porte bruciate, o peggio – nella battaglia contro il Diavolo, altre due brave persone, persone perbene, sono fuori gioco.

Ma il salvataggio delle banche di Sindona ancora non si fa.

Perché c'è un uomo che si oppone e che ha il potere di farlo. È il liquidatore della Banca privata finanziaria.

Giorgio Ambrosoli.

L'uomo solo.

Sindona attacca Ambrosoli. Prima politicamente: lo accusa di malafede, disonestà e incompetenza, rilascia interviste durissime su di lui, ne chiede l'allontanamento dall'incarico.

Ma Ambrosoli resiste.

Negli appunti dell'avvocato di Sindona, Rodolfo Guzzi, c'è una nota precisa: «sbarrare la strada ad Ambrosoli». Ambrosoli viene sottoposto a ogni genere di pressione e riceve visite continue da parte dell'avvocato di Sindona e di altri personaggi che gli chiedono di essere piú accomodante.

Ma Ambrosoli resiste.

In una lettera-testamento indirizzata alla moglie e che inizia con «Anna carissima», Ambrosoli le ricorda di quando erano piú giovani, quando facevano politica nell'Unione monarchica italiana, prima che lui restituisse la tessera appena si trovò a ricoprire un incarico pubblico. «Anna carissima – scrive, – ricordi i giorni dell'Umi, le speranze mai realizzate di far politica per il Paese e non per i partiti: ebbene, a quarant'anni, di colpo, ho fatto politica in nome dello Stato e non per un partito».

Resiste anche il braccio destro di Ambrosoli in quell'indagine, il maresciallo Novembre. Attraverso Gelli e le sue amicizie della P2 nella magistratura e nella Guardia di finanza, il maresciallo rischia di essere trasferito almeno due volte. Ma parla con i magistrati, che lo coprono, e rimane nella squadra, a continuare le indagini. Anche se riceve almeno cinque telefonate in piena notte e vede strane macchine che lo seguono quando torna a casa, costringendolo a tenere la mano sotto la giacca, sulla pistola. Una brava persona, il maresciallo Novembre, una persona perbene.

Ambrosoli resiste.

Deciso e irremovibile. Un «eroe borghese», come lo chiamerà Corrado Stajano in un bellissimo e appassionato libro di inchiesta giornalistica.

Consegna l'ultima relazione al giudice istruttore. Il giro di soldi mobilitato dalla Banca privata finanziaria è lievitato a 10 mila miliardi. Miliardi di allora.

E intanto collabora con il versante americano dell'inchiesta e va a New York, a deporre davanti al giudice.

Sindona si innervosisce.

Non ha soltanto politici e uomini d'affari tra i suoi amici, c'è anche della brutta gente, lo abbiamo visto. C'è la Mafia. Ambrosoli comincia a ricevere strane telefonate. C'è un uomo che parla, lui lo chiama il Picciotto. Il Picciotto insiste perché ceda sui progetti di salvataggio. Dice che sono tutti d'accordo, manca soltanto lui.

Ambrosoli registra tutte le telefonate.

E resiste.

L'ultima telefonata ha un suono strano, un suono che fa paura.

*L'accento è meridionale e la voce è attutita dalla cornetta, dallo schermo della linea e della registrazione. Ma è chiarissima.*

*«Pronto, avvocato?»*

*«Sí?»*

*«L'altro giorno ha fatto il furbo, si è messo a registrare la telefonata?»*

*«Chi gliel'ha detto?»*

*«Sono fatti miei chi me l'ha detto. Io la volevo salvare ma da questo momento non la salvo piú».*

*«Non mi salva piú?»*

*«Non la salvo piú. Perché lei è degno solo di morire ammazzato come un cornuto, perché lei è un cornuto e bastardo».*

Bastaddu, *suona l'ultima parola, prima che la cornetta venga riagganciata e la telefonata si interrompa.*

È l'11 luglio 1979 e sono le undici di sera. Giorgio Ambrosoli è stato a cena con alcuni amici, poi li ha salutati ed è tornato a casa. Ha appena parcheggiato la macchina e sta per scendere quando gli si avvicina un uomo, uno sconosciuto, che lo chiama.

«Il signor Ambrosoli?»

«Sí», dice Ambrosoli.

«Mi scusi, signor Ambrosoli», dice l'uomo, e gli spara addosso tre colpi di 357 magnum. Poi se ne va, monta su una Fiat rossa e si allontana. Il giorno dopo è già negli Stati Uniti.

L'uomo si chiama William Aricò e di professione fa il killer per la Mafia americana. Un killer, come quelli dei film e dei romanzi gialli, un esecutore, glielo dice anche al povero Ambrosoli, «mi scusi, signor Ambrosoli», niente di personale. Aricò dice che lo ha contattato un uomo, Robert

Venettucci, che gli ha promesso 25 mila dollari di anticipo e 90 mila di saldo.

Il suo mandante, per quel contratto, è Michele Sindona.

L'omicidio di Giorgio Ambrosoli non risolve la situazione, né può farlo al punto in cui si sono spinte le cose. Sembra piú un gesto di vendetta che un espediente razionale, la vendetta di un uomo disperato. Sindona continua a essere nei guai.

Allora succede qualcosa di incredibile.

Michele Sindona viene rapito.

La mattina del 3 agosto 1979, nell'ufficio di Sindona a New York, la segretaria prende una telefonata in cui uno strano «Comitato proletario di eversione per una giustizia migliore» dice di aver rapito il banchiere. Nei giorni seguenti arrivano lettere di Sindona che conferma di essere stato rapito, di star bene ma di avere paura. Poi, all'improvviso, Sindona riappare: il 17 ottobre, a New York, con una ferita alla gamba sinistra, un colpo di pistola sparatogli da una donna del gruppo di sequestratori quando aveva cercato di fuggire.

È una storia che non convince nessuno.

Sindona viene arrestato e dopo una serie di interrogatori confessa la messa in scena.

Già il 3 aprile si era procurato un passaporto falso intestato a Joseph Bonamico e aveva preso contatti con boss mafiosi come John Gambino e con Rosario Spatola, un costruttore strettamente colluso con la Mafia. Era andato a Vienna e da lí ad Atene e poi in Sicilia, prima a Caltanissetta poi a Palermo. Qui si era nascosto in casa di una sua amica, Francesca Paola Longo, assieme a un altro amico, Joseph Miceli Crimi, anche lui massone, amico di Licio Gelli che in quei giorni va spesso a trovare.

Miceli Crimi è un medico, un chirurgo estetico diventato il medico della polizia presso la questura di Palermo. Sindona si fa portare nella villa del suocero di Rosario Spatola assieme a John Gambino, Paola Longo e Miceli Crimi. Si fa scattare una foto ispirandosi al sequestro Moro. Da Miceli Crimi Sindona si fa anestetizzare e sparare un colpo di pistola a una gamba, per rendere piú credibile l'idea del sequestro.

*Al dottor Miceli Crimi l'intervistatore chiede perché si sia prestato a tutto questo. Era nella P2 il dottor Miceli Crimi, e anche queste immagini sono a colori vivi.*

*«Io mi prestai perché avevo fatto un giuramento a lui stesso sin da quando era ad Atene. E siccome per me era un intervento operatorio io l'ho fatto per questo. Era un intervento operatorio perché era una finzione, bisognava far vedere una ferita che effettivamente non c'era».*

È una pazzia, ma è cosí che sembra Sindona in questo momento: un pazzo. Un pazzo disperato, piú ostaggio dei suoi amici mafiosi, a cui deve qualche centinaio di miliardi, che burattinaio.

Sindona si muove per la Sicilia freneticamente, incontra persone, fa telefonate, scrive lettere che contengono sottili minacce in stile mafioso per gli ambienti politici e finanziari che dovrebbero proteggerlo, fa cambiare da Rosario Spatola un assegno da 100 mila dollari in una banca, progetta di andare a Vienna. Ma le telefonate del clan Sindona vengono intercettate; Vincenzo Spatola, fratello di Rosario, viene arrestato e va tutto a monte.

Sindona torna a New York, resta tre giorni in un hotel senza lavarsi e senza radersi, poi si fa trovare in una cabina telefonica di Manhattan e racconta di essere stato rapito.

Perché lo ha fatto? Per ricostruirsi un'immagine di perseguitato. Sindona è molto sensibile alla sua immagine pubblica e ha sempre praticato una accurata politica di pubbliche relazioni. Va bene, ma basta?

Qual è stato il vero scopo del suo viaggio in Sicilia?

*Joseph Miceli Crimi: «È stato detto da lui stesso, si trattava del recupero di documenti che gli erano molto necessari per l'andamento delle cause in corso che aveva».*

Il viaggio di Sindona in Sicilia, le coperture di cui gode quando si trova sull'isola, fanno capire quanto siano stretti i suoi rapporti con la Mafia. Che in quell'anno sta attraversando un momento particolare. Quell'anno, il 1979. La storia della Mafia lo definisce come l'*annus horribilis*. Nel gennaio 1979 muore Mario Francese, cronista di punta del «Giornale di Sicilia», assassinato per la strada perché stava scoprendo troppo. In marzo è la volta di Michele Reina, segretario provinciale della Dc. Due mesi dopo viene assassinato uno dei poliziotti piú coraggiosi e intelligenti che abbiano combattuto la Mafia: Boris Giuliano, capo della Squadra mobile, anche lui aveva scoperto troppo. Per lo stesso motivo, in settembre a essere uccisi sono il giudice Cesare Terranova e il suo autista, l'ispettore Lenin Mancuso. Sono omicidi eccellenti, che si inseriscono nella guerra di Mafia che sta già opponendo il vecchio vertice di Cosa Nostra alle cosche emergenti dei Corleonesi. Ma non è soltanto una guerra militare, di morti ammazzati a colpi di lupara, è anche una guerra sotterranea di soldi, quei soldi sporchi che il sistema Sindona era cosí bravo a riciclare. Ed è anche una guerra di protezioni, di aderenze, di coperture politiche da intimidire e ricattare.

Anche alla Mafia potrebbe interessare quello che vuole

Sindona: in Sicilia Sindona vuole recuperare una serie di documenti che servano a ricattare chiunque sia in grado di aiutarlo a uscire da quella situazione disperata. «Il grande ricatto», è stato chiamato.

Anche alla Mafia potrebbero interessare. Ma Sindona li trova, quei documenti?

*Joseph Miceli Crimi: «Mah... li recuperò in parte, non li recuperò tutti, infatti era molto nervoso quando era a New York. Dopo, dopo che ci lasciassimo l'ultima volta invece aveva ripreso un po' di tranquillità, dicendo che ormai aveva dei documenti nelle mani ed era piú tranquillo».*

Documenti, va bene. Ma quali documenti?

Uno di questi, forse, è la famosa *lista dei 500*, quella che Sindona dice che non esiste. Per alcuni quella lista è un lungo tabulato contenente il nome di 530 persone o enti che grazie alla Finabank di Sindona hanno esportato all'estero 97 milioni di dollari.

La trova quella lista? Forse no. O forse sí, la trova ma la deve cedere a qualcun'altro: alla Mafia, a Stefano Bontade, in cambio della cancellazione dei debiti e dell'annullamento di una sicura condanna a morte.

Chi c'era in quella lista? Cosa c'era negli altri documenti che Sindona stava cercando per realizzare quello che è stato chiamato «il grande ricatto»? Chi aveva venduto l'anima al Diavolo? E chi ce l'avrebbe adesso, quella lista? Come avrebbe potuto usarla, in seguito?

Comunque sia, il «grande ricatto» di Sindona non sembra funzionare.

Il 13 giugno 1980, negli Stati Uniti, Michele Sindona viene condannato a tre pene di 25 anni ciascuna per bancarotta fraudolenta. Il 25 ottobre 1984 viene estradato in Italia dove deve rispondere anche dell'omicidio di Ambrosoli.

William Aricò non è con lui. È stato arrestato negli Stati Uniti e ha deciso di collaborare e dire tutto sull'omicidio di Ambrosoli, ma non ha fatto in tempo. Il 19 febbraio è morto mentre cercava di evadere dal Metropolitan Correctional Centre di New York, questa è la spiegazione. È caduto mentre cercava di scavalcare la finestra della sua cella.

Che però si trova al nono piano.

*Adesso Michele a Sindona è a colori. Dietro le sbarre, in primissimo piano, intervistato dopo aver letto un memoriale al processo per l'omicidio di Giorgio Ambrosoli. Dice di essere molto dispiaciuto della sua morte, di cui si dichiara innocente. Molto dispiaciuto, addirittura distrutto, completamente. Mentre fa per allontanarsi l'intervistatore gli chiede cosa farà se sarà condannato. Sindona torna indietro e glielo fa ripetere: cosa farà se sarà condannato.*

*«Non verrò condannato», risponde Sindona.*

E invece no.

Nel 1985 Michele Sindona è condannato anche in Italia a 15 anni di carcere per il crack della Banca privata finanziaria. Il 18 marzo del 1986 è condannato all'ergastolo per l'omicidio di Giorgio Ambrosoli.

Dovrà rimanere in carcere, chiuso nel V reparto del penitenziario di Voghera, per tutta la vita. E invece due giorni dopo, il 20 marzo, esce dal bagno gridando: «Mi hanno avvelenato».

Lo hanno avvelenato. Lo hanno ucciso. Hanno introdotto del veleno nella sua colazione e lo hanno eliminato.

Omicidio.

Ma è andata veramente cosí?

Le perizie hanno dimostrato che Michele Sindona è stato avvelenato da un grammo di cianuro di sodio rinvenuto nel caffè che stava nel bicchierino di plastica. Attenzione, nel bicchierino soltanto e non nel thermos, che conteneva lo stesso caffè. Significa che il cianuro, molto probabilmente era nelle bustine di zucchero chiuse nel contenitore di metallo. No, un momento, in una sola delle cinque bustine, dato che Sindona ne ha versata un'altra nel tè e questo non contiene veleno. Chi l'ha ucciso ha confidato nella fortuna, sperando che scegliesse la bustina giusta, con una possibilità di uno a cinque. Possibile?

Difficile. Non solo, il caffè bevuto da Sindona non era un espresso ristretto, ma un caffè lungo. Secondo i periti non sarebbe riuscito a berlo in un solo sorso e quindi avrebbe dovuto accorgersi del veleno dal sapore acido che questo aveva sicuramente dato al caffè. Un suicidio, allora.

Può darsi. Sindona quella mattina ha un comportamento anomalo, come di chi abbia in mente qualcosa. Di solito faceva colazione seduto al tavolo; alla vista degli agenti, invece, entra nel bagno, si sottrae al controllo, appena il tempo di zuccherare il caffè con la bustina giusta ed esce dicendo di essere stato avvelenato. Perché lo fa? Perché è disperato?

Sindona aveva già fatto qualcosa del genere. Negli Stati Uniti aveva finto un tentativo di suicidio almeno due volte, con l'obiettivo di essere trasferito in una clinica da cui sarebbe fuggito con l'aiuto della Mafia, come afferma un rapporto dell'Fbi. Nell'accordo tra Stati Uniti e Italia, Michele Sindona era un detenuto «in prestito», un detenuto americano che stava in Italia per subire un processo. Se l'Italia non fosse riuscita a rispondere della sua incolumità, gli Stati Uniti se lo sarebbero ripreso.

*Questa volta è Enzo Biagi a intervistare Michele Sindona. Che ha sempre un abito scuro con una cravatta a pallini piccoli, ma che è molto piú nervoso. Il ghigno che gli deforma le labbra gli fa anche alzare una spalla. E la voce è un po' piú acuta, un po' piú stridula, con meno pause.*

*«Il mio futuro non cambia. Io voglio tornare subito in America, dove tra l'altro mi trattano con piú umanità».*

Se il tentativo fosse andato bene anche questa volta forse sarebbe riuscito a farsi rimandare in America, con la scusa di non essere protetto a dovere, e lí condurre una vita diversa rispetto a un carcere italiano.

Ma il tentativo non riesce perché Sindona sbaglia la dose e si uccide da solo.

Chi gli ha fornito il veleno? Non poteva averlo da quando era stato incarcerato, era troppo pericoloso, avrebbero potuto scoprirlo e in effetti una perquisizione a fondo, anche corporale, c'era stata solo una ventina di giorni prima. Qualcuno gliel'ha dato, ma chi? Chi poteva avvicinare Michele Sindona?

*Il direttore del carcere lo abbiamo intervistato noi, poco tempo fa, quindi è a colori, molto vivi, ma solo per motivi tecnici.*

*Dice: «Bisogna innanzitutto premettere che Sindona era in attesa di giudizio, quindi le visite erano autorizzate dall'autorità giudiziaria competente. Una volta che eravamo in possesso dell'autorizzazione del giudice, o su richiesta del detenuto Sindona, o magari venivano direttamente queste persone, si consentiva il colloquio. Io ricordo benissimo che lui aveva colloqui oltre che con i vari avvocati che si sono avvicendati, ricordo la moglie, i figli, il genero... e forse c'erano anche degli altri che non ricordo con certezza».*

Michele Sindona, pur essendo un detenuto speciale, poteva essere avvicinato da alcune persone. Mettiamo da parte gli agenti di custodia, che sono stati completamente scagionati da tutto, mettiamo da parte gli avvocati e mettiamo da parte la famiglia, naturalmente. Ce n'erano altre?

È importante, perché c'è un'altra ipotesi, un'ipotesi da romanzo giallo.

E se qualcuno gli avesse fornito apposta una dose eccessiva di cianuro? L'unico modo di farglielo prendere: convincerlo a fingere di avvelenarsi e poi avvelenarlo davvero, per seppellire con lui tutti i suoi segreti, i suoi «grandi ricatti».

*Questa è solo la voce di Michele Sindona, registrata senza immagini, come sospesa nel buio, lenta e scandita come sempre, con le pause, perché è prima del processo, quando era ancora a New York.*

*«Che qualcuno non voglia il mio ritorno dall'Italia mi viene confermato da un articolo di fondo scritto dal nuovo vicedirettore del "Progresso Italoamericano", che, dopo aver detto una dopo l'altra una serie di stupidaggini, forse alla fine ne ha detta una sensata. Ha detto: sarebbe un peccato, che Sindona non volesse arrivare in Italia, se qualcuno gli fornisse un caffè avvelenato come quello di Pisciotta, perché così non potrebbe portare con sé i Filistei».*

## Graziella Campagna
*Villafranca Tirrena (Me), 12 dicembre 1985*

Questa è una brutta storia.

È una storia misteriosa, toccante, assurda, anche vergognosa, ma è brutta perché ha come vittima una ragazza di diciassette anni, una bella, tranquilla, normale ragazza di paese, il cui destino, un giorno, per caso, imbocca la strada sbagliata e finisce dove non dovrebbe.

È brutta per lei, per Graziella, ed è brutta perché ha come sfondo un intreccio di trame, intrighi e poteri di cui quella ragazza non sa niente, e non saprebbe mai niente se non fosse proprio per quel caso, quel destino, che ce la porta dentro. Ed è per questo che oltre a essere una brutta storia, questa è una storia che fa paura.

Si svolge in Sicilia, in un piccolo paese che si chiama Villafranca Tirrena, in provincia di Messina.

È il 12 dicembre 1985.

È il caso che determina la nostra storia ed è per caso che qualche mese prima una ragazza legge un cartello appeso a un negozio.

Lei si chiama Graziella Campagna, abita in un paese vicino e sta accompagnando la sorella dal ginecologo. Sta cercando lavoro e c'è quel cartello, fuori da una lavanderia, «cercasi aiutante». Aiutante in una lavanderia, per lavare, stirare, fare le consegne a domicilio. Un lavoro semplice e tranquillo, pagato poco, 150 mila lire, tutte in nero, ma meglio di niente.

Perché lei, Graziella, da quando ha lasciato gli studi, non riesce a stare con le mani in mano. Ha diciassette anni, è molto carina, scura di occhi e di capelli, ma è una ragazza tranquilla, senza grilli per la testa, che pensa soltanto a lavorare.

Una ragazza cosí, come la descrive il fratello, Pietro Campagna.

*Pietro è un uomo giovane, scuro di carnagione e di capelli come immagino fosse Graziella. È un po' emozionato davanti alla telecamera e ogni tanto le sue frasi dal forte accento siciliano e dalla costruzione semplice ma precisa, si inceppano. Dice: «Graziella era una ragazza abbastanza dolce, una ragazza sempre col sorriso sulla bocca, tranquilla, calma... andavamo molto d'accordo. Rispettava la famiglia, le voleva bene, ci teneva, infatti il lavoro l'ha trovato per contribuire alla famiglia, essendo noi una famiglia numerosa, lei ci teneva molto a farci stare bene, magari faceva un regalo alle sorelle piú piccole, a mia figlia, che era piccola. Infatti lei la maggior parte del suo tempo la dedicava al lavoro. La sua passione era il ricamo. Essendo che mia madre ha fatto la sarta ha insegnato pure alle mie sorelle il ricamo. Ricordo pure che Graziella ci stava facendo una maglia, una maglia di lana. Che non l'ha potuta completare. È rimasta a metà».*

Lavare, stirare, aiutare nelle consegne a domicilio. Forse la vita di Graziella non sarebbe stata sempre cosí, forse avrebbe trovato un altro lavoro, forse si sarebbe sposata, avrebbe avuto dei figli.

Invece no, perché c'è il destino, che cambia strada e se la porta dietro.

12 dicembre 1985.

Sono quasi le otto e come ogni sera Graziella esce dalla lavanderia assieme alla proprietaria, la signora Franc e ad Anna, una collega. La signora deve accompagnare Anna con la macchina, mentre Graziella, come sempre, va ad aspettare l'autobus, poco distante. Abita a Saponara Superiore, un paesino vicino, dieci minuti con la corriera. La signora le dice che, se la ritrova ancora lí, quando torna darà un passaggio anche a lei, ma non importa, Graziella è abituata a prendere l'autobus, lo fa ogni sera.

Mentre aspetta alla fermata si avvicina un'auto. A bordo c'è Franco, un ragazzo che avrebbe voluto fidanzarsi con lei, è andato anche a parlare con i genitori ma qualcosa non ha funzionato, forse a Graziella neppure piace. C'è un po' di tensione tra i due, cosí Franco scambia solo due parole con lei e va a fare benzina al distributore vicino.

Da lí non può vedere Graziella. Però vede passare l'autobus e quando esce dal benzinaio Graziella non c'è piú.

Avrà preso la corriera, pensa, come tutte le sere. Dieci minuti di strada, quindici al massimo, e Graziella è a casa, dai suoi, come sempre.

E invece no.

Quella sera no.

La madre di Graziella l'aspetta alla fermata dell'autobus, a Saponara. L'autobus arriva ma Graziella non scende. Non è sulla corriera. Lo conferma anche l'autista.

Su quell'autobus, quella sera, Graziella non c'è mai salita.

Se Graziella fosse stata un'altra ragazza, un altro tipo, in un'altra città, ci sarebbero da pensare tante cose, ma con lei no. Non ha mai fatto tardi, non è mai uscita con nessuno, non ha mai dormito una sola notte fuori casa. Se non è sull'autobus, vuol dire che le è successo qualcosa.

La famiglia di Graziella si preoccupa e comincia a cercarla. Il padre e il fratello scendono a Villafranca, vanno a casa del signor Romano, il titolare della lavanderia, e parlano con la signora Franca e con lui. Dov'è Graziella? L'hanno lasciata alla fermata dell'autobus, ma sull'autobus non c'è... dov'è?

È proprio il signor Romano ad avere per primo l'idea. Non bisogna preoccuparsi.

Perché? Perché è una cosa da niente, una cosa che succede.

È una *fuitina*.

La *fuitina*, ancora oggi, è il meccanismo a cui si ricorre per aggirare opposizioni di parenti e genitori alle nozze, per fare presto, soprattutto perché le famiglie non hanno i soldi per le spese del matrimonio, dal ricevimento ai mobili, alla casa. I ragazzi scappano, passano qualche notte assieme in un posto lontano e cosí alla fine deve necessariamente seguire un rapido matrimonio riparatore. Sarà cosí, Graziella sarà scappata, magari proprio col fidanzato, Franco.

La cosa però non quadra.

Primo, la *fuitina* spesso si fa in accordo con i genitori e la famiglia di Graziella non sa nulla. Secondo, tra Graziella e Franco non c'era questa grande intesa. Terzo, il padre di Graziella telefona a Franco per avere notizie e Franco è proprio lí, a casa sua, e non sa niente di Graziella.

E allora?

Il fratello e il padre di Graziella vanno dai carabinieri di Villafranca assieme al signor Romano, a denunciarne la scomparsa. In caserma c'è il maresciallo, che li ascolta e concorda con il signor Romano.

È una *fuitina*. Magari Graziella aveva un altro ragazzo, senza che loro lo sapessero.

Impossibile.

Magari Graziella è salita con qualcuno.

Impossibile. Non accettava passaggi da nessuno, neppure dai cugini. Saliva solo con i fratelli, con il padre o i datori di lavoro.

È una *fuitina*, insistono il maresciallo e il signor Romano, una *fuitina* con Franco.

Ma se Franco è a casa sua!

Finge. Ha fatto la *fuitina*, poi è andato a casa per stornare i sospetti.

Il signor Romano si dà da fare e trova anche una testimonianza. Una donna che dice di aver visto Graziella salire su una macchina scura, di grossa cilindrata e allontanarsi. Salire di sua spontanea volontà, senza violenza. Visto? Una *fuitina*. Il maresciallo ne è cosí convinto che si prende un giorno di vacanza e se ne va al mare con la famiglia.

A questo punto inseriamo nella nostra storia un altro personaggio, un personaggio importante.

Lo abbiamo già visto prima, è il fratello di Graziella, Pietro Campagna. Sta lontano, a Reggio Calabria, e per due giorni non gli hanno detto niente, per non farlo preoccupare. Ma alla fine devono chiamarlo, e lo fanno. Tra l'altro, Pietro fa un mestiere particolare.

È un carabiniere.

*Pietro Campagna.*

*Dice: «Io arrivo, all'incirca potevano essere le otto e mezza di mattina, arrivo al casello dell'autostrada dove ho l'incontro con mio padre, mio fratello e uno dei titolari della lavanderia che ho conosciuto in quel momento, almeno cosí si è presentato, il quale mi tranquillizzava dicendo che mia sorella si era fatta una* fuitina *con Franco. Io allora ho chiesto a mio padre se avevano cercato mia sorella e mi ha detto che si erano fatti un giro con i carabinieri nella Nazionale, nel lungomare, nei torrenti, e con il proprietario della lavanderia avevano cercato in vari posti, in montagna. Ho detto io che c'era qualcosa che non andava, da cosa credevano che si era fatta la* fuitina *e gli stessi mi hanno detto che c'era una testimone che aveva visto mia sorella salire con i suoi piedi su una macchina, tranquillamente».*

Dice: *«Tante cose non mi convincono, in quanto da qualche parte doveva stare».*

Dice: *«Il proprietario insisteva che mia sorella si era fatta la* fuitina *con Franco. Siamo andati a trovare il Franco, io mi fermo a parlare con lui, ho mandato via mio padre e il proprietario della lavanderia con mio fratello e con Franco mi sono fatto quattro chiacchiere. Da là ho capito che lui, mia sorella, non l'aveva vista».*

Franco era già stato sentito dal maresciallo e aveva sempre negato tutto. Pietro va a trovarlo nell'officina in cui lavora, lo fronteggia, quasi lo aggredisce, poi si convince, lo sa, lo sente, che Franco non c'entra nulla. E allora Graziella dov'è?

Pietro comincia a cercarla.

Si fa prestare da un cugino una moto da cross e via per torrenti, sentieri, piste in terra battuta, campagne, alla ricerca di Graziella o di un indizio che possa portare a lei. Chiede informazioni a tutti quelli che incontra.

Si ferma vicino una panineria su una collinetta dove cacciatori e passanti sostano per lo spuntino. Sono le tre e mezza del pomeriggio. Lí accanto c'è una caserma della Forestale, con un fuoristrada e alcune guardie in divisa. Pietro si presenta, chiede informazioni.

Nessuno ha visto nulla. Pietro sta per ripartire quando arriva una Bmw da cui scende un signore preoccupatissimo, molto agitato. Lassú, accanto a un muro del vecchio forte Campone, c'è un cadavere.

Un cadavere? Di che sesso è, chiede Pietro.

Una donna, una ragazza.

E come è vestita?

Giubbotto rosso e pantaloni neri. Come Graziella.

Pietro monta sul fuoristrada assieme alle guardie forestali e corre al forte, seguendo la macchina dell'uomo. Pochi minuti, otto chilometri di strada sterrata. Arrivato al forte, Pietro non ce la fa piú, scende dal fuoristrada e corre sul luogo, a vedere quella ragazza, sperando che non sia lei, che non sia Graziella.

E invece è proprio lei.

È Graziella.

*Pietro Campagna adesso ha gli occhi umidi.*

*Dice: «Da allora in poi quella giornata è indimenticabile. Ci siamo portati con le guardie forestali sul posto e ho visto quello che ho visto. Ho visto mia sorella che era a terra. Era sparata. Con cinque colpi di fucile».*

Graziella è rannicchiata sull'erba, vicino la stradina in terra battuta che porta ai ruderi del forte.

È vestita come è uscita di casa e non ha alcun segno di violenza sessuale. Le hanno sparato. Cinque colpi di lupara, cinque colpi di fucile da caccia calibro 12, a canne mozze, i cui bossoli vengono trovati accanto al corpo di Graziella. Uno l'ha colpita al braccio e alla mano, segno che probabilmente ha cercato di coprirsi quando ha capito cosa le stava accadendo. Gli altri l'hanno colpita alla testa, allo stomaco, alla spalla e l'ultimo al petto, quando Graziella era già a terra.

Sono stati sparati a breve distanza, tutti dalla stessa arma e presumibilmente attorno alle 21.00 di quel 12 dicembre.

Cinque colpi, di cui uno, quello alla testa, sparato in faccia.

Sembra un'esecuzione, un modo di uccidere che di solito si riserva ai criminali, ai grandi boss della Mafia. E Graziella, allora? Cosa c'entra Graziella?

Graziella non è un boss della Mafia. Graziella è una ragazza di diciassette anni, molto carina, molto tranquilla, senza grilli per la testa. Il suo massimo svago è uscire la domenica pomeriggio per passeggiare con le amiche, lungo il corso di Saponara, che è un piccolo paesino in cui non succede mai niente. Quando è a casa cuce e ricama lenzuoli, centrini e magliette, come quella che stava facendo per il figlio piccolo di Pietro. Se no lavora alla lavanderia. Lí c'è gente che viene e che va, clienti fissi, come l'ingegner Cannata e il suo amico, Giovanni Lombardo. L'ingegner Cannata è un uomo sui 45 anni, di Palermo, come Lombardo, un signore distinto, stimato da molti; il vicesindaco, per esempio, ne parla benissimo. Quando arrivano l'ingegnere e il suo amico ridono e scherzano con tutti, ma niente di piú.

Insomma, una ragazza tranquilla, Graziella.

E allora perché la ritroviamo là, ai ruderi del forte, ammazzata da cinque colpi di lupara sparati a bruciapelo?

Va bene, non è una *fuitina*. Gli investigatori, finalmente, si convincono.

Il 14, quando torna dalle ferie, il maresciallo si trova la caserma piena di gente. Graziella è appena stata trovata e a quanto ricorda il maresciallo in caserma ci sono il maggiore che comanda il Reparto operativo dei carabinieri di Messina e il capitano che comanda la compagnia di Messina centro. Il maresciallo dice che c'è anche un magistrato, e non ci sarebbe niente di strano se non fosse che quella non è la sua giurisdizione, perché fa il pretore a Patti, a 70 chilometri di distanza. Non importa.

Va bene, non è una *fuitina*, quella, ma Franco c'entra sicuramente. È lui l'uomo da indagare. Cosí viene fatta una perquisizione a casa del ragazzo e gli vengono sequestrati due fucili da caccia. Franco viene interrogato in modo pressante, molto pressante, stando a quanto denuncerà al processo: percosse e sigarette spente sulla pelle.

Intanto Pietro, da persona ostinata e decisa, da fratello di Graziella, da carabiniere, prosegue le sue indagini, da solo. Il giorno dopo torna sul luogo del ritrovamento di sua sorella.

È un posto che fa paura, nascosto tra gli alberi di un bosco, accessibile soltanto da quella stradina sterrata. E alla fine, all'improvviso, il castello: una specie di fortino, con un ponte levatoio, due piccole torrette e celle segrete lungo le mura. Un posto in cui potrebbe succedere di tutto.

E lí, in una di quelle stanze, trova qualcosa.

*Pietro è tornato deciso. Ha gli occhi meno umidi.*

*Dice: «Io ho visto delle tracce di macchina che portavano all'interno di questo forte dove c'erano parecchie stanze di cui una di fronte all'ingresso. Lí vi erano dei residui di fuoco spento e delle impronte di scarpa stampate per terra, potevano essere anche cinque scarpe diverse, per cui là vi sono state delle persone. Cicche di sigaretta, bottiglie di plastica, per cui mi ha dato il sospetto che mia sorella poteva essere stata portata là».*

*Dice: «Io mi sono precipitato subito in caserma a riferire questo particolare. Poi ho saputo che non hanno fatto nulla. Anzi, dico che nei verbali di sopralluogo non esiste assolutamente questo forte. Assolutamente».*

Pietro cerca anche di ricostruire le ultime ore della sorella, il tragitto che può aver fatto per arrivare a quel maledetto forte.

Tutte le sere Graziella prendeva la corriera a pochi metri dalla lavanderia. Non era proprio la fermata ufficiale, che stava cento metri piú sotto. Graziella aspettava, alzava un braccio e l'autobus si fermava per caricarla. Quella sera Graziella non lo fa. Sale su un'auto di grossa cilindrata e dove va?

Per arrivare al forte ci sono due strade. Si può fare inversione di marcia e tornare indietro, riattraversare tutta Villafranca e risalire verso il monte. Ma è all'opposto della strada per Saponara, all'opposto della strada per casa, e Graziella si sarebbe allarmata, avrebbe reagito, c'è ancora tanta gente in giro, a quell'ora. Poi la donna che la vede salire sull'auto dice che la macchina ha continuato lungo la strada per Saponara, come la corriera.

Ecco, lungo quella strada, pochi metri dopo la fermata di Graziella, c'è una stradina che sale. È una stradina nascosta, che pochi conoscono e nessuno fa, perché è ripida e sterrata, ma quella strada porta diritta al forte.

È facile caricare Graziella, fingere di accompagnarla a casa e poi all'improvviso girare e portarla via passando di là, senza che possa chiamare aiuto. Fino al forte.

Significa qualcosa, tutto questo. Significa che Graziella è salita in macchina con qualcuno che conoscev. E questo qualcuno conosceva i luoghi.

Ma per i carabinieri non è cosí.

Quella strada è troppo ripida e non si può fare. Pietro la percorre con un'auto e quattro persone a bordo e arriva fino in cima, ma per il maresciallo non è vero. Non batte la strada e non va neppure al forte a controllare la segnalazione di Pietro sui resti trovati laggiú. Anzi, dice a Pietro che il maggiore è arrabbiato con lui perché ha parlato con la polizia, che si occupa delle indagini parallelamente ai carabinieri. Lo invita ad andarci a parlare, con il maggiore, e quando Pietro ci va trova nell'ufficio del comandante un altro ufficiale. Un colonnello, cosí lo chiamano, colonnello. Il colonnello gli dice di stare tranquillo, ha lui in mano la cosa, sta facendo una perizia sui colpi che hanno ucciso sua sorella.

Tutto a posto... però c'è qualcosa che non torna. Qualche giorno dopo Pietro è al suo comando, a Reggio Calabria, e vede passare il colonnello, proprio quel colonnello. Si stupisce perché nessuno dei suoi colleghi lo saluta, è un ufficiale, dovrebbero farlo.

Ma loro gli dicono: quale colonnello? Quello? Quello non è un colonnello, è un confidente, un sedicente esperto d'armi, un tipo strano.

Strano.

Comunque non importa, c'è già un probabile colpevole, è Franco, il fidanzato respinto. Solo che Franco non confessa e la perizia sui fucili trovati a casa sua non dà esito positivo.

Non c'entra niente Franco, niente di niente.

E allora? Chi ha ucciso Graziella?

A questo punto, succede una cosa.

Per raccontarla partiamo da tre passi indietro.

Il primo: 8 dicembre.

Quattro giorni prima che Graziella venga uccisa.

È la festa dell'Immacolata, sono le cinque di sera e ci sono pattuglie in giro, a controllare il traffico sulle strade. I carabinieri sono fermi a Orto Liuzzo, vicino Villafranca, bloccano una Ritmo targata Milano, per un normale controllo. Dentro ci sono due normali cittadini, un ingegnere di Palermo di nome Eugenio Cannata, che consegna patente e libretto, e un geometra, che non ha con sé i documenti ma dichiara di chiamarsi Giorgio Fricano e di essere anche lui di Palermo. La macchina è intestata a lui e i carabinieri chiamano la centrale per un normale controllo sul terminale.

L'ingegnere si spazientisce, ha fretta, dice che è conosciuto a Villafranca, è anche amico del maresciallo che comanda quella stazione. Passa un'auto a velocità sostenuta e i carabinieri fermano anche quella.

E qui succede una cosa strana. Approfittando della distrazione dei carabinieri l'ingegner Cannata mette in moto e riparte, scappa, lasciando la sua patente ai militari.

I carabinieri restano sconcertati. Il controllo aveva anche dato esito negativo, tutto a posto, tutto normale, e allora?

Vanno a Villafranca a chiedere al maresciallo, che conferma, ma certo, quello è l'ingegner Cannata.

E le ricerche finiscono lí.

Il secondo passo: 9 dicembre.

Tre giorni prima che Graziella venga ammazzata.

Sono le otto e mezza di sera e Graziella è appena tornata a casa. Sta guardando la televisione con la madre quando le viene in mente qualcosa. Qualcosa che l'ha colpita.

Lo dice alla madre, dice che alla lavanderia, mentre lavorava, si è accorta che dentro la biancheria di un cliente c'era un foglietto. Lo ha preso per guardarlo e Agata, la collega, gliel'ha preso di mano. Era strano quel foglietto, perché da lí si capiva che il cliente non aveva lo stesso nome con cui di solito era conosciuto.

Chi era quel cliente?

L'ingegner Cannata.

«Mamma, lo sai che l'ingegner Cannata non è lui?» dice Graziella. «È un'altra persona».

Chi è l'ingegner Cannata?

Graziella aveva ragione, l'ingegner Cannata non è l'ingegner Cannata. Ha un nome diverso, molto «onorato» in certi ambienti, e anche molto temuto.

È Gerlando Alberti junior.

Gerlando Alberti junior è il nipote di un grande boss della famiglia di Porta Nuova di Palermo, Gerlando Alberti senior, detto «u' paccarè». Altro che ingegnere, Gerlando Alberti junior è Mafia, è Cosa Nostra, ed è latitante da tre anni. E il geometra Fricano è Giovanni Lombardo alias Giovanni Sutera, il suo guardaspalle, ritenuto uno dei piú feroci killer della famiglia di Porta Nuova.

Il terzo passo: 10 dicembre.

Due giorni prima che Graziella sparisca dalla fermata dell'autobus.

Secondo una ricostruzione della polizia, mentre si trova dal barbiere, Gerlando Alberti junior si accorge di aver smarrito qualcosa. Un documento, un appunto, un'agendina, qualcosa che sta in una custodia di plastica e che è molto importante. È sicuro di averlo lasciato nella tasca di un indumento portato in lavanderia e là corre, per farselo restituire. Ma tutto quello che è rimasto nella custodia è un santino di Papa Giovanni, a cui Alberti è molto devoto. Allora Alberti si arrabbia, sbatte tutto sul tavolo e se ne va.

Quando viene rintracciato e arrestato, Gerlando Alberti junior nega e nega anche Giovanni Sutera. Ma il barbiere e il personale della lavanderia confermano la scena ricostruita dalla polizia.

È per questo che Graziella è stata uccisa? Perché ha visto una cosa che non doveva vedere?

Per la polizia non ci sono dubbi. Graziella è stata sequestrata, caricata in auto con una scusa, magari con l'aiuto di una persona di cui si fidava, portata al forte, e interrogata su quello che sapeva, su cosa aveva raccontato, su dove fossero finiti quei documenti. Poi era stata uccisa.

Perché era pericolosa, Graziella.

Era la sorella di un carabiniere.

Nel 1989, a Messina, Gerlando Alberti junior e Giovanni Sutera vengono rinviati a giudizio per omicidio. La Corte d'assise è presieduta da un presidente e c'è un pubblico ministero. Il processo si ferma subito: è lo stesso pubblico ministero a chiedere l'annullamento del rinvio a giudizio e di tutti gli atti svolti fino a quel momento. Motivo, un vizio di forma. La difesa è d'accordo, anche gli avvocati di parte civile, tutti d'accordo.

Si rifà. Le carte tornano al pubblico ministero. Che chiede il proscioglimento degli imputati. Nel frattempo si è convinto della loro innocenza: Gerlando Alberti junior e Giuseppe Sutera non c'entrano niente. Gli atti passano al giudice istruttore, che si dichiara d'accordo.

Prosciolti per non aver commesso il fatto. Il sostituto procuratore generale di Messina vista la sentenza e il caso viene archiviato.

E Graziella chi l'ha uccisa? Chi l'ha caricata sulla macchina e l'ha portata al forte per sparargli cinque colpi di lupara? Cosa ci facevano due latitanti ricercati e pericolosi nel paesino di Villafranca?

Non si sa.

Silenzio. Silenzio sull'omicidio di Graziella Campagna.

È un silenzio che dura parecchi anni.

Ma nel frattempo, per fortuna, succede un'altra cosa. Scoppia il caso Messina.

Fino quasi alla fine degli anni Novanta Messina veniva considerata una provincia «babba», una città dove non succede nulla, dove non si uccide nessuno, dove il crimine non si organizza, dove non c'è niente. Dove la Mafia, contrariamente al resto della Sicilia e dell'Italia, non esiste. L'unico omicidio che in tanti anni poteva lontanamente sembrare mafioso era quello di una ragazzina di 17 anni, che si chiamava Graziella Campagna e che qualcuno aveva ucciso, chissà perché.

Bene, non è vero.

*Niki Vendola è di Messina ed è un deputato di Rifondazione comunista. È stato vicepresidente della Commissione parlamentare antimafia della tredicesima legislatura.*

*Dice: «Ecco, perché se uno, diciamo a volo d'uccello, prova a ripercorrere un periodo lungo nella storia di questa capitale di Mafia si accorge che ciò che impedisce di accendere un riflettore nel corso degli anni e di avvertire la gravità del livello di inquinamento mafioso di questa città, è rappresentato proprio dalla icona, dalla cartolina illustrata di Messina città "babba", come si usa dire, cioè provincia tranquilla, paciosa, dove non accade nulla di rilevante. Vi è una straordinaria capacità di manipolazione dell'immaginario collettivo disegnando Messina come territorio a-mafioso, territorio appartato rispetto alle grandi capitali di Mafia. Usando questa immagine Messina diventa un comodissimo riparo sia per chi fugge, sia per chi intreccia sinergie e relazioni pericolose».*

Latitanti che prendono il caffè con i carabinieri, collegamenti con il continente, affari importanti, affari sporchi, trattati in tranquillità sotto la cartolina della provincia «babba». Salterà fuori tutto nel 1998, dopo l'omicidio eccellente di un medico universitario, il professor Matteo Bottari. Le inchieste mettono sotto accusa il complicato sistema di potere che governa lo Stretto: docenti di gran fama, imprenditori, boss mafiosi, massoni, politici, magistrati.

E Gerlando Alberti junior?

Le inchieste che fanno saltare il coperchio della pentola di Messina fanno venire a galla una quantità di collaboratori di giustizia, che parlano di tante cose.

Anche di Alberti.

Il nipote di «u' paccarè» sarebbe nella zona per trattare partite di droga tra Palermo e Messina, ricevendo trafficanti dello spessore dei cugini Greco e dei capi della famiglia di Ciaculli, i massimi livelli della Mafia siciliana.

Dalle rivelazioni dei collaboratori di giustizia salta fuori anche un altro nome.

Santo Sfameni.

*Niki Vendola.*

*Dice: «Era uno dei mammasantissima di Cosa Nostra, era un uomo delle tante mafie che si raccordano, era un uomo tra virgolette delle Istituzioni, nel senso che sue molteplici frequentazioni istituzionali lo rendevano, pur essendo al di sotto di ogni sospetto, molto al di sopra dell'esercizio dell'azione penale».*

*Fabio Repici è l'avvocato della famiglia di Graziella Campagna.*

*Dice: «Ci vorrebbe tantissimo per poter parlare in maniera non superficiale di questo soggetto. Dalle cose che sono emerse nei processi degli ultimi anni è venuta fuori una figura particolare di un soggetto avvinto da legami massonici a po-*

*tenti rappresentanti istituzionali, che contemporaneamente stava al di sopra di tutti i gruppi mafiosi messinesi, che garantiva per conto dei gruppi mafiosi, e che in fondo garantiva anche per conto dei mafiosi di Stato. La* pax *mafiosa che imperava ai tempi della città babba trovava in soggetti come Santo Sfameni i suoi punti di riferimento. Messina in quegli anni non conobbe alcuna strage, alcun crimine efferato come avvenne in altre parti della Sicilia. L'unica vittima di episodi di questo genere fu proprio Graziella Campagna. Solo di questo fu testimone Graziella Campagna e solo per questo Graziella Campagna fu uccisa. Anche per questo, per il suo omicidio, quell'intreccio vergognoso tra esponenti istituzionali e mafiosi doc riuscí a protrarre il proprio potere e il proprio controllo del territorio per almeno quindici anni».*

Santo Sfameni. Secondo i pentiti è il capo carismatico che aggiusta i processi, corrompe giudici e magistrati, crea collegamenti tra diversi gruppi mafiosi, garantisce l'impunità ai latitanti che stanno nella sua zona, Villafranca.

È uno dei protagonisti di quello che viene chiamato «il Rito Peloritano».

*L'avvocato Fabio Repici è un uomo dall'aspetto mite, stempiato, con un paio di occhiali dalla montatura leggera. Quando parla, parla con voce gentile. Ma dice cose terribili.*

*Dice: «Rito Peloritano è un fenomeno di rara verosimiglianza, però è la verità di quello che accadeva in quegli anni. Capitava che la mattina, Tizio faceva il magistrato, Caio faceva l'avvocato, poi c'erano anche i mafiosi che a volte, ma solo a volte, venivano imputati. Poi, alla sera, li si trovava tutti a cena assieme. Questo era il Rito Peloritano. Era un rito che comportava il fatto che i piú potenti capimafia messinesi non avevano mai conosciuto vicende processuali, erano sempre rimasti estranei al pianeta giustizia. Questo avveniva continuamente, e contestualmente questi soggetti che venivano esclusi dall'interessamento della giustizia aumentavano il loro potere, perché soggetti che a Messina riuscivano ad aggiustare i processi per conto dei piú potenti mafiosi di Cosa Nostra, che riuscivano a garantire latitanze dorate agli stessi potenti capimafia, ovviamente all'interno di Cosa Nostra aumentavano di potere».*

Secondo i pentiti, Santo Sfameni è al centro di molte cose e amico di molta gente importante. Per esempio? Un sostituto procuratore generale di Messina, un presidente di Corte d'assise, un giudice istruttore, un pubblico ministero. Sono personaggi che abbiamo già sentito, sono quel sostituto procuratore generale di Messina, il presidente del tribunale, il pubblico ministero e il giudice istruttore del processo che ha assolto Gerlando Alberti junior e Giovanni Sutera.

C'è anche quel pretore di Patti che dicevano fosse nella caserma di Villafranca quando è stata trovata Graziella.

*L'avvocato Fabio Repici.*

*Dice: «L'ha raccontato il giudice istruttore nel 1999, in un'indagine a Catania nella quale era rimasto coinvolto. Confessò di aver anticipato l'esito di questo processo, e cioè l'esito della sentenza di proscioglimento che effettivamente firmò, al boss Sfameni che gliene aveva chiesto conto. Il giudice prima di emettere sentenza aveva ritenuto giusto, e questo è il Rito Peloritano, confidare al boss dei boss, il protettore dei mafiosi palermitani, che i suoi amici sarebbero stati prosciolti. E sulla vicenda si è dilungato approfonditamente un collaboratore di giustizia, nell'ultimo processo, Santi Timpani, il quale ha rivelato, secondo quanto riferitogli da Santo Sfameni, che per quella sentenza di proscioglimento i due magistrati che avevano definito il procedimento, cioè il pubblico ministero e il giudice istruttore, percepirono la somma di 500 milioni.*

Per Santi Timpani, cognato di uno dei piú potenti boss di Messina, quel pubblico ministero e quel giudice istruttore avrebbero preso dei soldi per aggiustare il processo di Graziella Campagna. Tanti soldi. Cinquecento milioni. Lo confermerà anche nel dibattimento, ritrattando in parte le accuse al pubblico ministero.

Manca un nome all'appello... Quello del «Colonnello». Invece no, c'è anche lui. Dalle informative dei carabinieri risulterebbe un amico di Santo Sfameni. E anche di Gerlando Alberti junior. In seguito le accuse nei suoi confronti verranno archiviate e il «Colonnello» uscirà indenne dall'inchiesta, completamente scagionato.

Attenzione. Sono ipotesi, accuse di pentiti, inchieste aperte e processi in corso come quello che si sta tenendo presso la Corte d'assise di Catania, e che vede Santo Sfameni, quel giudice istruttore e quel pretore accusati di concorso esterno in associazione mafiosa. Ai processi, e a quelli soltanto, spetta il compito di stabilire la verità. Ma torniamo a Graziella Campagna.

Cosa c'entra Graziella in tutto questo?

*Niki Vendola.*

*Dice: «Lei è molto di meno e molto di piú. È una ragazzina che inconsapevolmente osserva questo contatto, lo scopre senza averne avuto consapevolezza, il contatto, la collusione organica tra Stato e Antistato. E allora va soppressa. E naturalmente nella stessa dinamica che ne ha scandito l'omicidio si trova la genesi del depistaggio, di questa straordinaria impostura che porterà a mettere molta sabbia sul cadavere martoriato di Graziella Campagna»*.

Non c'entra niente, Graziella, ed è pericolosa proprio per questo. Troppo semplice, troppo giovane, troppo «piccola» per essere ricattata, blandita, obbligata a stare zitta. Chissà, prima o poi avrebbe parlato con qualcuno, proprio come fanno i bambini, magari con quel suo fratello carabiniere. E allora, via Gerlando Alberti junior e il suo guardaspalle, via Santo Sfameni che ne doveva proteggere gli affari e la latitanza, via a uno a uno tutti gli anelli della catena.

Meglio correre ai ripari. Meglio farla fuori, anche se è troppo semplice, troppo giovane, troppo «piccola».

Nel settembre del 1996, sulla base delle dichiarazioni di nove collaboratori di giustizia, il Pm Carmelo Marino chiede la riapertura delle indagini sull'omicidio di Graziella Campagna.

Due anni dopo, nel dicembre del '98, inizia il processo a carico di Gerlando Alberti junior e Giuseppe Sutera, accusati di omicidio, e della signora Franca, del signor Romano, di Agata e del barbiere per favoreggiamento. Santo Sfameni non c'è, la sua posizione è stata stralciata e trasferita a Reggio Calabria, nel processo a carico del procuratore di Patti e del giudice istruttore.

Sembra un romanzo, un romanzo di Leonardo Sciascia o di Andrea Camilleri, e invece è una brutta storia vera, una storia che fa paura. Non solo perché ha come vittima una ragazzina di 17 anni che un giorno legge un cartello su un negozio e dà alla sua vita una piega sbagliata. Ma perché è una storia italiana, che fa capire come certi problemi riguardino tutti, e come chiunque, anche il piú lontano, il piú diverso, il piú «piccolo», non sia mai al sicuro.

Il processo per l'omicidio di Graziella è ancora in corso presso la Corte d'assise di Messina, attualmente interrotto in attesa che la Corte di cassazione si pronunci su un'eccezione che è stata presentata. Se si è fatto è grazie anche alla tenacia e al coraggio di persone che non accettano compromessi. Come l'avvocato Fabio Repici.

O come Pietro, il fratello carabiniere di Graziella.

*Pietro Campagna. Ha di nuovo gli occhi umidi, ma la voce è sempre piú decisa.*

*Dice: «Non vedo il perché una ragazza cosí dolce, cosí innocente, una ragazza che ha perso la vita per andare a lavorare, per 150 mila lire, per contribuire alla famiglia... che devo pensare io? Che devo fare? Come posso dire non è successo nulla? Come posso vivere senza che ci sia giustizia? Io mi sono visto la famiglia distrutta, i miei genitori invecchiati, le mie sorelle piangere, tutt'oggi, perché ogni festa che c'è, ci manca mia sorella. Ci manca».*

## La strage di Gioia Tauro
*Gioia Tauro, 22 luglio 1970*

Questa è la storia di un mistero dimenticato.

Talmente oscuro, talmente *misterioso*, che per tanto tempo nessuno ne ha saputo niente, dissolto quasi, coperto dalle nebbie nere di tanti altri grandi Misteri d'Italia.

Questa è una storia di strani incidenti. Incidenti come tanti, come quelli che avvengono tutti i giorni, cose che purtroppo capitano quando si viaggia, in auto e in treno. Però strani, strani incidenti, strani davvero.

Per tanti anni, troppi, quasi nessuno ha mai saputo cosa fosse successo veramente a Gioia Tauro nel luglio del 1970.

Ma fermiamoci un momento.

Facciamo come si fa nei romanzi, prima di entrare nel vivo della storia presentiamo alcuni personaggi. Sono importanti, perché li ritroveremo dopo.

Sono cinque ragazzi sui vent'anni. Quattro sono di Reggio Calabria e si chiamano Gianni Aricò, Angelo Casile, Franco Scordo e Luigi Lo Celso. La quinta è tedesca, si chiama Annelise Borth ed è la moglie di Gianni. Tutti e cinque sono anarchici, giovani anarchici calabresi, tutti un po' artisti, di quel tipo di persone che la gente e i giornali, in quegli anni, chiamano «capelloni». Si trovano in una vecchia casa che loro chiamano «la Baracca» e fanno quello che fanno gli anarchici: studiano, discutono, stampano volantini e manifesti, scrivono articoli e intanto protestano, provocano, organizzano manifestazioni contro la fame nel Biafra e la guerra in Vietnam. Raccolgono materiale di controinformazione su problemi e misteri.

Lasciamoli lí, nella Baracca, e torniamo alla nostra storia. Al primo strano, misterioso, incidente.

È il 22 luglio 1970, sono le 17.10 e siamo su un treno. Il treno è il direttissimo Siracusa-Torino, un lungo convoglio di 17 carrozze che attraversa praticamente tutta la penisola. Si chiama «Freccia del Sud» o anche «il Treno del sole», perché porta su e giú per l'Italia la gente che va in vacanza, gli emigranti che tornano a casa per le ferie o quelli che già risalgono per lavorare. Ore e ore di treno, nel caldo di luglio, con i finestrini aperti, e chi è partito da Siracusa, all'altezza di Gioia Tauro ormai se ne è fatte tante.

All'altezza di Gioia Tauro, provincia di Reggio Calabria. È lí, poco prima della stazione, nei pressi del ponticello sul fiume Petrace, che il macchinista sente un colpo sotto il treno, un piccolo botto e un sobbalzo, come se all'improvviso fosse mancato il terreno sotto il locomotore. Il macchinista capisce cosa sta succedendo, pochi secondi, due al massimo e sposta la maniglia del rubinetto di comando sulla quinta posizione, per azionare il meccanismo di frenata rapida su quel convoglio di 17 carrozze che sta correndo a 100 all'ora. Sotto l'azione del freno, le prime cinque carrozze si comprimono una sull'altra, riducendo la velocità.

La sesta no.

Pochi secondi, altri due al massimo, e un addetto al ristoro che si trova nella sesta carrozza sente anche lui un rumore anormale, un colpo e uno strisciare strano che viene dalla rotaia, sotto il treno.

È la sesta carrozza che deraglia.

Il carrello anteriore esce dai binari e comincia a strappare le traversine, arando il terrapieno che sostiene i binari. Una dopo l'altra le vanno dietro tutte le altre dodici carrozze, un po' verso l'esterno e un po' verso l'interno, inclinate, a zig zag.

Poi, il convoglio si spezza.

*Le immagini di repertorio sono nitide, per niente sgranate, nonostante gli anni. In un bianco e nero lucente, mostrano i vagoni del treno sdraiati su un fianco, con i finestrini, quelli che si abbassavano con tutte e due le mani, tirando con forza, aperti fino a metà, per il caldo estivo. Altri vagoni invece sono ancora in piedi, ma accartocciati l'uno sull'altro, piegati a fisarmonica sui binari.*

*Fanno paura.*

Sei morti e settantasette feriti, di cui dodici in gravissime condizioni.

Una sciagura, un disastro ferroviario, una strage.

Arrivano i soccorsi, arrivano le ambulanze e anche pullman e auto private per portare i feriti all'ospedale, mentre al telegiornale si diffondono gli appelli perché c'è bisogno di sangue per le trasfusioni. Arrivano anche i telegrammi di cordoglio del Presidente della Repubblica e delle massime autorità dello Stato.

E arriva anche la procura di Palmi, che apre un'inchiesta.

Sei morti e settantasette feriti. Le indagini vengono coordinate dal giudice istruttore di Palmi e affidate alla Polfer, la polizia ferroviaria. Intanto una commissione di periti si mette all'opera per scoprire le cause del disastro.

*Il capostazione: «Ho sentito un boato, sono uscito fuori, ho visto un polverone che si alzava dalla parte degli scambi e sono corso da quella parte. Ho trovato il macchinista che era sceso già dal locomotore e ho domandato; dice: "Ho sentito come un colpo e ho frenato, naturalmente"».*

*L'ingegnere della Commissione d'inchiesta: «Sulle probabili cause non possiamo dire nulla, vi è in corso come in tutti questi casi un'inchiesta da parte delle autorità ferroviarie e della magistratura e quindi non possiamo, né siamo autorizzati a dire niente prima che si concludano gli accertamenti». Il giornalista insiste: pare che comunque l'apparato automatico degli scambi abbia funzionato... «Era perfettamente a posto, sí».*

*Un ingegnere delle Ferrovie, davanti alla pancia rovesciata di un vagone sventrato: «Noi abbiamo qui un binario della massima efficienza, si tratta del migliore armamento di cui dispongono le Ferrovie dello Stato, per cui diventa difficile accertare le cause...»*

Gli scambi hanno funzionato, il materiale ferroviario era a posto, i macchinisti hanno fatto quello che dovevano fare. La Polfer scopre che c'è stata qualche irregolarità nelle disposizioni sul traffico e sulla manutenzione dei binari e cosí il capostazione e tre ferrovieri vengono indagati per disastro colposo e omicidio colposo plurimo.

Irregolarità... bastano per spiegare il deragliamento del treno? Bastano per spiegare quei sei morti e quei settantasette feriti? No, non bastano. Il 30 maggio del 1974, alla fine delle indagini, il giudice istruttore dichiara il non doversi procedere contro i ferrovieri. Con il deragliamento del treno non c'entrano niente.

E allora? Cosa è successo? Perché il Siracusa-Torino, la «Freccia del Sud», il «Treno del sole», è uscito dai binari mentre correva a 100 all'ora?

E se fosse stata una bomba?

La perizia degli esperti indicava anche questa possibilità. Procedendo per eliminazione arrivavano alla conclusione che «il disastro poteva essere stato causato da un fatto doloso consistente in un attentato dinamitardo». Scartate tutte le cause meccaniche, scartato l'errore umano, l'unica ipotesi che rimane è quella di un sabotaggio.

Ma il giudice istruttore non è convinto.

Nessuno ha sentito l'esplosione. Se ci fosse stata una bomba ci sarebbero un buco e un botto. Il buco non c'è, ma del resto il treno deragliando ha arato tutto il terrapieno attorno ai binari, portando via tutto. Però il botto, l'esplosione, qualcuno dovrebbe averla sentita e non si trova nessuno, né i macchinisti, né il personale, né i passeggeri, che testimoni in quel senso.

E allora? Non si sa. Mistero. I ferrovieri non c'entrano, non c'entra nessuno. L'inchiesta si chiude e il caso finisce lí.

Torniamo indietro, torniamo ai quattro ragazzi, agli anarchici, Angelo, Franco, Gianni e Annelise. Li abbiamo lasciati nella Baracca, a Reggio Calabria. Sono tipi interessanti. Giovanissimi, tutti sui vent'anni, ma con una personalità molto decisa.

Angelo dipinge, zoppica per la poliomielite avuta da bambino, ma questo non gli impedisce di andare in giro per il centro di Reggio con un cartello addosso per protestare contro la guerra, o di passeggiare per il corso con una gallina al guinzaglio, come provocazione. Franco suona il pianoforte, Gianni studia Legge, è un campione di scherma, ed è durante una riunione del gruppo anarchico che conosce Annelise, anarchica anche lei.

Sono tipi strani, sono capelloni, idealisti, gente che sogna, ma sono tipi ostinati, che si fanno picchiare, arrestare, mandare all'ospedale. Gente che non scende a compromessi.

C'è un anarchico, per esempio, si chiama Giuseppe Schirinzi, che sta cercando di fondare un gruppo a Reggio Calabria, e vuole chiamarlo «XXII marzo», come quello di Valpreda, a Milano. Ma Angelo non ci vede chiaro, fa una piccola indagine e riesce ad avere l'elenco dei neofascisti italiani che nella primavera del '68 sono andati nella Grecia dei colonnelli, in un viaggio organizzato dal Centro studi «Ordine nuovo». Nell'elenco c'è anche Schirinzi, che viene smascherato come un neofascista che cercava di infiltrarsi.

Ecco, documentazione, controinformazione.

Sono dei capelloni, sono dei sognatori quei quattro ragazzi, ma sono anche ostinati, informati e decisi. C'è qualcos'altro che ha attratto la loro attenzione. C'è l'incidente al «Treno del sole», sei morti e settantasette feriti.

Ma davvero si è trattato di un incidente?

Oltre al referto dei periti ferroviari c'era anche qualcun altro che aveva ventilato l'ipotesi di un attentato. I giornali, il «Corriere della Sera», «L'Unità», «L'Avanti», «Abc», avevano parlato della possibilità di bombe. Perché? Perché Gioia Tauro è a soli 35 chilometri da Reggio Calabria, e in quella città, meno di venti giorni prima, è successo qualcosa.

È scoppiata la rivolta di Reggio.

*Il repertorio mostra un poliziotto in assetto di guerra, con l'elmetto e il fucile, che spara un lacrimogeno non si sa dove. Ci sono auto rovesciate, piccole Cinquecento che stanno bruciando. Ci sono due persone, un uomo e una donna, che stanno correndo lungo il marciapiede portando due taniche d'ac-*

*qua. Hanno paura. Se non fosse per il bianco e nero antico della televisione di allora potrebbe essere Sarajevo.*

La rivolta di Reggio inizia il 5 luglio 1970. Si è saputo che nella risistemazione regionale la sede del capoluogo non sarà Reggio Calabria ma Catanzaro. È il sindaco Dc Piero Battaglia a renderlo pubblico, con quello che viene chiamato il «rapporto alla città». I reggini lo sentono come un complotto, una perdita, sia economica che morale.

Il 13 luglio, con l'appoggio del sindaco e delle principali forze politiche, escluso il Partito comunista che si tira fuori da subito, viene proclamato lo sciopero in tutta la città. Lo sciopero continua spontaneamente anche il 14 e a quel punto succede qualcosa. Un gruppo di giovani reggini va alla stazione per occupare i binari. La polizia carica con decisione, con violenza, ci sono dei feriti e ci sono anche una decina di arresti. Intanto nascono le prime barricate nel centro storico e viene bloccata l'autostrada. Una folla enorme si riversa in piazza Italia, la piazza principale di Reggio, e chiede il rilascio degli arrestati. La polizia carica di nuovo, ancora piú violentemente, e la città esplode.

*Il repertorio mostra gente, tanta gente, che agita il pugno. Un uomo ha un cerotto sulla bocca con sopra scritto «libertà». Poi c'è la polizia che carica, con i caschi, gli scudi e i manganelli. Picchiano tra i lacrimogeni, corrono per le strade con le camionette, tra il fumo delle fiamme.*

A sera si contano 40 feriti, quasi tutti tra le forze dell'ordine, e solo perché i reggini in ospedale non ci vanno, per non farsi identificare.

Il giorno dopo, il 15 luglio, c'è il primo morto. Si chiama Bruno Labate, è un ferroviere iscritto alla Cgil e viene trovato a terra in una traversa di corso Garibaldi, dopo una carica della polizia.

Ai suoi funerali partecipano migliaia di persone, che sfilano in corteo, passando davanti alla questura. A questo punto un migliaio di giovani si staccano e assaltano il palazzo. Si sfiora la strage, perché i poliziotti della Celere sono tutti armati di mitra, ma il questore Santillo riesce a bloccarli, a tenerli sotto controllo e a farli salire di piano in piano, mentre le fiamme bruciano una decina di auto e tutta la quinta sezione della Mobile.

La rivolta si estende e la situazione sembra ormai sfuggita di mano al Comitato unitario formato soprattutto dalla Dc e dal sindaco Battaglia.

*Il senatore Renato Meduri, oggi di Alleanza nazionale, è stato uno dei protagonisti della rivolta di Reggio Calabria.*

*Dice: «Arrivati i primi mandati di comparizione, cioè con l'inizio del terrorismo giudiziario nei confronti di chi si batteva per la città, queste persone si tirarono indietro, e fu cosí che ai primi di agosto nacque spontaneamente in piazza questo comitato d'azione che si chiamò "Comitato d'azione per Reggio capoluogo"».*

Il Comitato d'azione è formato in gran parte da estremisti di destra. A coordinarli sono esponenti del Msi come Natino Aloi e Renato Meduri, e soprattutto Ciccio Franco, che inventa per la rivolta uno slogan che resterà famoso.

«Boia chi molla».

*Ciccio Franco è di repertorio. Colori sgranati e un po' stinti e ancora la scritta «Ciccio Franco, Msi» in sovrimpressione o, come si dice, nel «sottopancia».*

*«Certo, l'ho coniato io per un articolo per il settimanale "Libertà e Lavoro" che guidava la battaglia per Reggio e da quel momento il popolo ne fece il suo vessillo, il suo grido di battaglia».*

Barricate, occupazioni. Nel quartiere di Sbarre si forma la «Repubblica di Sbarre», a Santa Caterina il «Granducato», c'è anche il «Regno di Viale Quinto». Ci sono processioni alla Madonna e c'è una specie di tregua dall'una alle cinque, per andare a mangiare. Ma soprattutto ci sono scontri, bombe molotov, incendi, cariche della polizia, attentati dinamitardi.

E morti. Cinque, con centinaia di feriti e centinaia di arresti.

Per una rivolta cosí, si dice, ci vogliono armi, ci vuole esplosivo, ci vogliono soldi. Si parla di finanziatori e alcuni industriali reggini vengono indagati, senza che a loro carico emerga nulla.

La rivolta di Reggio dura quasi un anno.

Il 12 febbraio 1971, il Presidente del Consiglio Emilio Colombo annuncia che in cambio del capoluogo e dell'università, che resteranno a Catanzaro e Cosenza, a Reggio andrà il Quinto centro siderurgico italiano con investimenti per 10 200 posti di lavoro. I reggini accettano. Dieci giorni dopo, i carabinieri, la polizia e l'esercito – coinvolto per la prima volta nella storia della Repubblica in questioni di ordine pubblico – entrano in città con i carri armati e sgomberano le ultime barricate.

E il «Treno del sole»? Cosa c'entra il disastro di Gioia Tauro con tutto questo? Non lo sappiamo, almeno per adesso.

È vero però che di bombe, in quel periodo, nella zona

ne scoppiano tante come non è mai accaduto nella storia d'Italia. Soltanto nei mesi in cui si sviluppa la rivolta di Reggio ci sono ventotto attentati dinamitardi, di cui ventuno a danni di treni, stazioni e ferrovie. Ai giornalisti viene spontaneo associare il disastro di Gioia Tauro a una bomba.

E anche ai quattro anarchici della Baracca, ad Angelo, a Franco, a Gianni e Annelise. C'erano anche loro in strada, durante la Rivolta, ma per motivi diversi.

Con una macchina fotografica arrivata dalla federazione anarchica di Roma fotografano le barricate per documentare l'ipotesi dell'arrivo a Reggio di neofascisti di Ordine nuovo e Avanguardia nazionale.

E manifestano, perché gli scontri finiscano.

*Il professor Antonino Perna è il cugino di Giovanni Aricò.*

*Dice: «Ho partecipato il 7 settembre del '70, assieme alla Chiesa evangelica di Reggio, all'unica manifestazione pacifista di quel periodo, in cui c'era scritto "via la polizia da Reggio" e "basta con la violenza". Sono arrivati i fascisti e ci hanno rotto i cartelli, e c'è stata questa scena bellissima, che Angelo Casile veniva preso a schiaffi da un noto fascista locale e diceva bravo, bravo, prendimi a schiaffi, cosí fai il servizio dei padroni che ci vogliono dividere».*

È con quel coraggio e quella determinazione che Angelo, Franco e Gianni compiono la loro inchiesta sul deragliamento del treno.

Raccolgono elementi, mettono insieme indizi e notizie su quello che è successo al «Treno del sole». È un lavoro complesso e lungo, di «controinformazione», che contrasta con la versione ufficiale dei fatti che considera sempre quello di Gioia Tauro un disastro ferroviario.

Il 6 settembre Gianni telefona a Roma, agli anarchici della federazione, avvertendoli che la controinchiesta procede bene, che hanno scoperto fatti e documenti compromettenti e che parte di questo materiale è stato spedito per posta a un loro compagno. «Abbiamo scoperto delle cose che faranno tremare l'Italia», dice Gianni alla madre qualche tempo dopo.

Intanto succedono cose strane.

Dalla «Baracca» scompaiono alcuni rullini fotografici. Agli anarchici arrivano minacce telefoniche. Franco viene aggredito e picchiato da un gruppo di neofascisti.

I ragazzi hanno paura.

*Tonino Perna, il cugino di Giovanni.*

*Dice: «Ho sempre di fronte l'immagine di mio cugino che due giorni prima di partire l'ho visto scuro in viso, veramente terrorizzato. Credo che un paio di giorni prima di partire per Roma avevano capito di aver toccato un nervo vitale. Avevano paura».*

Hanno paura ma vanno avanti lo stesso. C'è l'occasione di andare a Roma per una manifestazione contro l'arrivo di Richard Nixon in Italia. Gianni chiama un avvocato di Roma, Edoardo De Gennaro, che infatti segna il nome Aricò nella sua agenda sotto il giorno 27. Poi prendono la macchina e vanno a Vibo Valentia, a partecipare a una riunione e lí dànno un passaggio a un anarchico di Cosenza, Luigi Lo Celso. Sono in cinque, su una Mini Morris, diretti a Roma.

Gianni, Franco, Luigi, Angelo, Annelise. Diretti a Roma.

Non ci arriveranno.

Sono le undici e mezza di sera. La piccola Mini Morris sta correndo lungo la A2 in un tratto in salita tra Ferentino e Frosinone, alle porte di Roma, quando all'improvviso si schianta contro il rimorchio di un autotreno.

Angelo, Luigi e Franco muoiono sul colpo. Gianni muore subito dopo l'arrivo in ospedale. Annelise resta in coma per 21 giorni, poi muore anche lei.

«Tamponamento con urto violento». L'inchiesta della polizia stradale, coordinata dal sostituto procuratore di Frosinone attribuisce a questo l'incidente che ha distrutto la piccola Mini Morris, che ha la parte anteriore schiacciata e il tetto scoperchiato. Tre dei cinque ragazzi sono volati fuori, anche a parecchi metri sull'asfalto. Il rimorchio del camion invece è fermo sulla normale corsia di marcia, con le luci spente. Non rotte, spente.

Forse i ragazzi sono arrivati di corsa, non l'hanno visto e ci si sono schiantati contro. È facile.

Ma c'è anche qualche elemento che non quadra. In un libro, *Cinque anarchici del Sud*, che racconta la vita dei cinque ragazzi, l'autore Fabio Cuzzola mette insieme alcuni dubbi.

Perché la Mini Morris non sí è incastrata sotto il camion, schiacciando i ragazzi dentro l'auto? Perché i fanali di coda del rimorchio non sono distrutti? Perché il camion presenta segni d'urto piú sulla fiancata che sul retro?

Qualcuno ha ipotizzato la presenza sul luogo di una terza auto, che avrebbe potuto seguire i ragazzi.

Ma sono soltanto ipotesi. C'è l'inchiesta della polizia stradale e ci sono le testimonianze dei due autisti del camion. I cinque ragazzi sono morti per «tamponamento con urto violento».

E il dossier? E le carte dell'inchiesta di controinformazione?

Quelle non si trovano.

*Antonino Perna.*

*Dice: «Si sa che le avevano e che le avevano anche spedite a Roma, a una famiglia anarchica, ma non erano mai arrivate».*

*Dice: «Molte cose sono poco chiare. Intanto la cosa che le stesse famiglie hanno subito reclamato sono i documenti di questi ragazzi. Questi ragazzi muoiono e i loro documenti personali, oltre il dossier, scompaiono».*

Esisteva davvero quel dossier? All'amico anarchico a cui dicono di averlo spedito non arriva nulla.

Poi, c'era davvero qualcosa da scoprire sul deragliamento del «Treno del sole»? Forse si è trattato soltanto di un incidente, no, non uno, due incidenti. Quello alla macchina degli anarchici e quello al treno, strani incidenti, brutti incidenti, ma niente di piú.

Su tutti e due, sui sei morti del «Treno del sole» e sui cinque nella Mini Morris cala il silenzio.

Fino al 1993.

Quell'anno, l'11 febbraio, succede qualcosa.

Indagando sulle stragi degli anni Settanta, piazza Fontana, la questura di Milano, piazza della Loggia a Brescia, il giudice istruttore di Milano Guido Salvini si imbatte nel disastro di Gioia Tauro.

*Il giudice Salvini parla tenendo gli occhiali in mano, indicando con la punta della stanghetta. Ha la erre arrotata e anche lui è una di quelle persone che parla con voce gentile, ma dice cose tremende.*

*Dice: «Lavorando sull'estrema destra eversiva sono comparsi testimoni che hanno alzato un primo velo su quello che era stato inizialmente identificato come un errore umano, da parte dei macchinisti, e cioè il deragliamento del treno vicino alla stazione di Gioia Tauro. Deragliamento però non per errore dei macchinisti, ma perché fu messo dell'esplosivo sui binari, e i testimoni ci hanno raccontato che questo esplosivo era stato collocato dai gruppi vicini a chi stava in quel momento fomentando la rivolta di Reggio Calabria».*

C'è un uomo che si chiama Giacomo Lauro e che fa parte della 'Ndrangheta. È un collaboratore di giustizia, uno dei primi e dei piú importanti della criminalità organizzata calabrese. Giacomo Lauro parla, prima al sostituto procuratore distrettuale di Reggio Calabria Bruno Giordano, poi con il dottor Salvini, e anche con il sostituto procuratore della Direzione nazionale antimafia Enzo Macrí, che assieme ad altri conduce l'operazione «Olimpia», una maxi inchiesta sui rapporti tra criminalità organizzata e politica in Calabria.

*Il sostituto procuratore Enzo Macrí.*

*Dice: «I pentiti nel '93 ci dicono tante cose. Ci dicono intanto che nella rivolta di Reggio la 'Ndrangheta ebbe un ruolo, probabilmente non un ruolo determinante ma un ruolo di sostegno. La 'Ndrangheta in sostanza, per questa parte, si limitava a rifornire queste associazioni del materiale esplosivo necessario per l'esecuzione degli attentati».*

Cosa dice Lauro?

Dice che non è stato un incidente, quello del treno. È stato un attentato dinamitardo. L'ha procurato lui l'esplosivo, che viene da una partita di 50 chilogrammi presa in una cava nei pressi di Bagnara. Quell'esplosivo Lauro l'ha consegnato a due «Boia chi molla», due uomini impegnati nella rivolta di Reggio: Vito Silverini, detto «Ciccio il Biondo», e Vincenzo Caracciolo, che sono già morti nel momento in cui Lauro parla.

Lauro dice che i due gli avrebbero pagato, per quell'esplosivo, tre milioni, consegnati a Silverini attraverso Ciccio Franco dal commendator Demetrio Mauro, il «re del caffè», e dall'armatore Amedeo Matacena.

*Nei filmati di repertorio che lo mostrano per le strade di Reggio, in camicia bianca e occhiali scuri, o mentre parla al microfono da un palco improvvisato assieme agli attivisti del Comitato, il commendator Mauro è piú giovane, anche se sempre robusto. Nel filmato piú recente, invece, appare piú vecchio.*

*«Io passavo per il finanziatore, il ricco reggino, il fascista... perché chi ha qualche lira, in Italia, passa per il fascista, chi non ce l'ha passa per comunista».*

*Anche Amedeo Matacena è piú giovane nei filmati in bianco e nero. In quello piú recente è a casa sua, seduto rigido su un divano davanti a una finestra che dà sul mare, magro e dritto, con gli occhiali scuri e un foulard giallo. Parla a voce bassa, muovendo appena le labbra.*

*«Una cosa che respingo è che io sia stato uno dei finanziatori della rivolta di Reggio Calabria. Perché sono un imprenditore, ho realizzato alcune cose, e se avessi dovuto finanziare un movimento di rivolta avrei finanziato un movimento in cui si fosse sparato, in cui ci si fosse ammazzati, non un movimento di rivolta in cui si scagliavano soltanto le pietre a orario, poi si staccava all'una e un quarto, si andava a sentire il radiogiornale e poi verso sera si ricominciava».*

Indicati come finanziatori della rivolta, Mauro e Matacena vengono arrestati, indagati per istigazione a delinquere aggravata, poi completamente prosciolti. Niente strani finanziamenti e niente lunga mano della 'Ndrangheta, dice il senatore Meduri, allora uno dei promotori dei Comitati.

*Il senatore Meduri.*

*Dice: «La Mafia sta ai fatti di Reggio come i cavoli stanno alla merenda. Fu completamente estranea. Io credo che mai una rivolta fu di popolo come quella che fu combattuta a Reggio Calabria nel '70».*

*Il sostituto procuratore Macrí non è d'accordo.*

*Dice: «Io mi occupai dei rapporti che la 'Ndrangheta aveva e poteva aver avuto con il mondo politico, con il mondo dell'eversione e con i cosiddetti poteri occulti. Vi fu una convergenza di risultati investigativi veramente significativa tra le indagini che conducevo io e quelle che parallelamente conduceva il giudice istruttore di Milano Guido Salvini, che si occupava della strategia della tensione. Scavando a fondo si arrivò ad accertare collegamenti con la destra eversiva che nascevano proprio in occasione della rivolta di Reggio Calabria del 1970, o che addirittura nascevano qualche anno prima e che poi si mantennero inalterati nel corso degli anni».*

È stato un attentato, insiste Lauro, e racconta anche come è avvenuto. Glielo ha detto Silverini, in carcere con lui per un'altra bomba che volevano mettere alla Prefettura.

Silverini e Caracciolo nascondono la bomba nell'Ape di quest'ultimo e la portano ai binari vicino alla stazione di Gioia Tauro. È Silverini che l'ha costruita, mettendo assieme candelotti di dinamite come ha imparato a fare quando era militare nei genieri, a Bolzano.

Fanno esplodere la bomba prima che arrivi il treno e questo spiega perché nessuno, sul «Treno del sole», abbia udito il botto. Nascosti nelle vicinanze, vedono arrivare il treno a 100 all'ora su un buco nei binari di almeno sette metri e lo vedono deragliare. Un disastro. Non se l'aspettavano, non era quello lo scopo dell'attentato, non tutti quei morti. Dal loro nascondiglio vedono arrivare i soccorsi e la polizia e vedono anche il questore Santillo, che comincia a urlare, infuriato.

Vengono riesaminate e aggiornate quelle perizie che fin dall'inizio parlavano di una bomba e c'è un altro collaboratore di giustizia che conferma la ricostruzione di Lauro. Si chiama Carmine Dominici, fa parte del direttivo dei «Boia chi molla», ed è un neofascista di Avanguardia nazionale.

«Avanguardia nazionale di Reggio Calabria faceva riferimento ovviamente alla leadership romana di Stefano Delle Chiaie, il quale veniva spesso in Calabria... Non ho dati precisi in merito al disastro di Gioia Tauro. Però posso confermare che non si trattò di un errore dei ferrovieri, ma di un attentato riconducibile all'ambiente dei Boia chi molla».

Un attentato dei «Boia chi molla»? Uno dei tanti che si sono verificati durante la rivolta di Reggio?

*Il senatore Meduri.*

*Dice: «Assolutamente no. Perché la rivolta fu veramente un fatto popolare».*

*Dice: «Su Gioia Tauro, appena ci fu quel terribile disastro, ci furono immediate le indagini. Tutti stabilirono che aveva ceduto una parte del materiale ferroviario. Che ci furono altri attentati è un fatto accertato. Ma nessuno può dire, perché direbbe una menzogna, che questi attentati furono connessi alla rivolta di Reggio».*

*Il sostituto procuratore Macrí continua a non essere d'accordo.*

*Dice: «Noi abbiamo notato una coincidenza singolare. La rivolta di Reggio inizia il 14 di luglio del 1970. I primi attentati iniziano a pochi giorni di distanza e il 22 luglio, a so-*

*lo otto giorni dalla rivolta, avviene la strage di Gioia Tauro, segno evidente che vi era già in piedi un'organizzazione che curava l'esecuzione di una serie di attentati ferroviari. Fino al dicembre del '70, quindi ancora nelle prime fasi della rivolta, si contano già quindici attentati di questo genere».*

Secondo Giacomo Lauro, secondo i sostituti procuratori Salvini e Macrí, a Gioia Tauro sarebbe esplosa una bomba fornita dalla 'Ndrangheta e messa da neofascisti di Reggio Calabria. Ma perché? A che scopo?

Ci sono tre parole che saltano sempre fuori a questo punto. Sono tre parole talmente ripetute che a volte sembrano aver perso il loro significato, ma sono tre parole che a pensarci bene fanno paura.

Strategia della tensione.

Cos'è la strategia della tensione?

*Il giudice Salvini, sempre con gli occhiali in mano, sempre con la erre arrotata. Sempre con la voce gentile.*

*Dice: «La strategia della tensione in Italia fu definita una vera e propria piccola guerra, o una guerra civile a bassa intensità. Ricordiamo una serie di stragi, piazza Fontana, la strage davanti alla questura di Milano, la strage di Brescia, la strage dell'Italicus, piú oltre la strage di Bologna, e poi quella strage dimenticata che fu quella di Gioia Tauro nel 1970, vicino Reggio Calabria. Questa strategia si sviluppa soprattutto tra il 1968 e la prima metà degli anni Settanta, quando poi le condizioni per poter dare a questa strategia uno sbocco politico, nei termini di una svolta autoritaria o addirittura di un golpe in Italia, vengono meno».*

*Dice: «Questa piccola guerra ha provocato circa 300 morti, tutti cittadini innocenti, centinaia di feriti, e non dimentichiamo decine di stragi mancate».*

*Dice: «Bisogna respingere assolutamente l'idea che questa serie di stragi fosse opera di quattro piú fanatici o piú esaltati degli altri. In realtà chi ha materialmente operato era sostenuto e aiutato da strutture molto importanti all'interno dei servizi segreti italiani e probabilmente anche stranieri».*

Il deragliamento del «Treno del sole» avviene il 22 luglio del 1970. C'era stato qualcosa prima, qualcosa di terribile.

C'era stata piazza Fontana.

C'è un libro di Giorgio Boatti che si intitola *Piazza Fontana* e racconta la storia con grande intensità. Inizia con i milanesi che passeggiano pacifici in corso Emanuele un venerdí pomeriggio di metà dicembre. Poi, all'improvviso, arriva un uomo sporco di sangue, con i vestiti stracciati e bruciacchiati, che urla. È successo qualcosa laggiú, all'inizio del corso, in piazza Fontana.

Il 12 dicembre del 1969, alle 16.30, scoppia una bomba nella sede della Banca dell'agricoltura di piazza Fontana, a Milano. Ci sono 16 morti e 85 feriti. È quella che verrà chiamata la «Madre di tutte le stragi». A questa seguono altre bombe e altre stragi, tante, tantissime tra cui quella di piazza della Loggia, a Brescia, che nel maggio del '74, durante un comizio sindacale, uccide 8 persone e ne ferisce 94.

*Il repertorio qui è soprattutto sonoro. C'è una registrazione audio fatta in diretta dal palco, direttamente dall'impianto che diffondeva il comizio. Prima si sente la voce dell'oratore, Franco Castrezzati. Toni da comizio, energici, cantilenati, un po' retorici: «... che con i suoi lugubri proclami in difesa degli ideali nefasti della Repubblica sociale italiana ordiva fucilazioni e ordiva spietate repressioni oggi ha la possibilità di mostrarsi sui teleschermi come capo di un partito che è difficile collocare nell'arco antifascista e perciò costituzionale... A Milano ...» Poi, all'improvviso, un po' lontano e attutito dall'impianto, ma non molto, il botto.*

*La voce di Castrezzati cambia. Non è piú retorica, adesso, è drammatica. E agghiacciante. Urla, per sovrastare il rumore della gente che grida e si sente, sotto: «Aiuto, aiuto, è una bomba».*

*«STATE FERMI! DÀI! STATE CALMI! STATE CALMI! STATE ALL'INTERNO DELLA PIAZZA! IL SERVIZIO D'ORDINE FACCIA CORDONE ALL'INTERNO DELLA PIAZZA! STATE ALL'INTERNO DELLA PIAZZA!»*

*Qui le parole, quelle scritte, non bastano.*

*Bisogna sentirle davvero, per capire.*

Il processo per la strage di piazza Fontana è durato 32 anni. Nel luglio di quest'anno c'è stata la sentenza di primo grado che ha condannato all'ergastolo come esecutori materiali della strage Delfo Zorzi, Carlo Maria Maggi e Giancarlo Rognoni. Mancano ancora i mandanti, anche se le indagini del giudice istruttore Salvini hanno ipotizzato una catena di comando che attraversa estremisti di destra di Ordine nuovo e Avanguardia nazionale, membri dei servizi segreti italiani e agenti stranieri. Il processo per la strage di Brescia non si è ancora concluso, come tanti altri.

Ma questa è un'altra storia.

Torniamo a noi, ai nostri strani incidenti. Era avvenuto qualcosa prima del deragliamento del «Treno del sole», lo abbiamo visto. Ma avviene anche qualcosa dopo.

Avviene il golpe Borghese.

*L'intervista è della televisione della Svizzera italiana, ed è stata fatta nel 1971. È in bianco e nero, e in primissimo piano il principe Borghese parla tenendo gli occhi socchiusi, con le labbra deformate dal disprezzo, la voce coperta da quella anonima del doppiaggio in italiano.*

*«Oggi combatto contro degli italiani. Oggi parlo contro degli italiani quando le dico che i nostri nemici piú pericolosi in Italia sono i comunisti, quindi degli italiani. E non mi disturba affatto dirle che sono nemici e se potessimo sterminarli sarei molto contento perché libereremmo il nostro Paese da nemici che vivono assieme a noi e che costituiscono un eterno pericolo».*

Lo hanno definito un «golpe da operetta», e invece sembra che fosse una cosa seria. Nella notte tra il 7 e l'8 dicembre del 1970, l'ex comandante della X-Mas, il principe Junio Valerio Borghese, assieme a militari, fedelissimi e gente di Cosa Nostra, marcia su Roma, e cerca di occupare il palazzo del ministero degli Interni nel tentativo di realizzare un colpo di Stato.

*Il giudice Salvini.*

*Dice: «Ricordiamoci che non fu affatto un golpe da operetta. Sempre questi testimoni calabresi, questi collaboratori di giustizia che appartenevano ad Avanguardia nazionale, ci hanno raccontato della forte partecipazione della 'Ndrangheta con centinaia di uomini in Calabria e altri uomini appartenenti alle cosche in Sicilia, pronti a collaborare alla presa del potere il 7 dicembre. Cosí come abbiamo appreso sempre da queste indagini che strutture della massoneria facevano parte del piano di quella notte».*

Anche questa è un'altra storia, ma non cosí diversa secondo il giudice Salvini e il sostituto procuratore Macrí.

Strategia della tensione.

Il «Treno del sole» salta per aria, come tanti altri attentati, per preparare il terreno a una svolta autoritaria, a uno dei tanti golpe tentati e mai riusciti, di cui quello Borghese è soltanto un esempio. Del resto, il principe Borghese a Reggio Calabria c'era stato poco prima che iniziasse la rivolta. Nell'ottobre del '69 aveva cercato di tenere un comizio in piazza Italia, poi proibito dalla questura, a cui erano seguiti gravi disordini.

È servita a questo la strage del «Treno del sole»? Era anche questo la Reggio Calabria della rivolta, un laboratorio in cui preparare la strategia della tensione?

*L'onorevole Tommaso Rossi era capogruppo del Pci al Consiglio regionale della Calabria. Anche lui è meno giovane di quanto lo fosse allora, e adesso ha i capelli bianchi. Parla davanti a un poster raffigurante Enrico Berlinguer che sorride.*

*Dice: «Oggettivamente lo è stato. Non dimentichiamo che l'anno prima, il 1969, c'era stata la strage di piazza Fontana. A Reggio stessa c'erano stati degli scontri tra la polizia e questi gruppi diretti da Borghese. Durante i moti c'erano gruppi di destra, di fascisti che venivano da Messina. C'era qualcosa che andava al di là dei moti come fatto spontaneo che maturavano nella realtà di Reggio Calabria, come qualche cosa che maturasse anche all'esterno di Reggio».*

Qualunque cosa sia stata la rivolta di Reggio, la sentenza della Corte d'assise di Palmi del febbraio 2001 stabilisce che a far deragliare il «Treno del sole», a causare quei 6 morti e quei 77 feriti fu una bomba. Giacomo Lauro, accusato di averla consegnata, è stato assolto. Vito Silverini, detto «Ciccio il Biondo», e Vincenzo Caracciolo, accusati di averla messa, sono morti. Per gli eventuali mandanti e finanziatori dell'attentato, le inchieste si dovranno fare.

Caso chiuso.

E i cinque ragazzi morti sulla A2? Era questo che avevano scoperto? Le cose che avrebbero fatto tremare l'Italia? La bomba sul «Treno del sole», oppure le connessioni con la malavita organizzata e l'estremismo di destra? Il prossimo golpe Borghese? Ipotesi, ipotesi da romanzo giallo per un incidente, che forse è davvero uno strano incidente, troppa velocità in un punto in cui il destino ha messo il rimorchio di un camion, al buio, magari con i fari spenti. Forse. O forse no.

Resta il mistero del dossier. Che fine ha fatto? È mai esistito quel dossier? Di quei documenti non c'è traccia, da nessuna parte. Però ci sono alcuni elementi inquietanti. Nell'estate del '96 le ricerche del professor Aldo Giannuli, un consulente della Commissione stragi e del giudice istruttore Salvini, fanno scoprire un archivio nascosto. In un deposito di via Appia ci sono centocinquantamila fascicoli del ministero degli Interni, alcuni dei quali non protocollati e mai mostrati ai giudici che ne hanno fatto richiesta. Tra i centocinquantamila fascicoli di via Appia ce n'è uno intestato all'incidente in cui sono morti i cinque ragazzi.

Cosa c'è dentro?

Non si sa.

Quando viene trovato è praticamente vuoto.

*Fabio Cuzzola, l'autore di* Cinque anarchici del Sud.

*Dice: «Il fatto è che questi ragazzi avevano molti talenti, e avevano la creatività, la voglia di porsi domande, di mettersi in discussione e di lottare per la giustizia, l'uguaglianza e la fratellanza. Avevano una maturità che è sconosciuta ai ragazzi d'oggi, ma non perché i ragazzi di oggi non ne abbiano le potenzialità, ma perché non c'è nessuno che gli racconta, gli narra».*

*Dice: «Come dice Luis Sepúlveda, lo scrittore cileno, narrare è resistere».*

Ha ragione Fabio Cuzzola, «narrare è resistere». È non dimenticare. È fare in modo che parole vecchie e troppo ripetute come «strage» o «strategia della tensione», non perdano il loro significato e rimangano quello che sono.

Brutte cose che fanno paura.

*«STATE FERMI! DÀI! STATE CALMI! STATE CALMI! STATE ALL'INTERNO DELLA PIAZZA! IL SERVIZIO D'ORDINE FACCIA CORDONE ALL'INTERNO DELLA PIAZZA! STATE ALL'INTERNO DELLA PIAZZA! INVITIAMO TUTTI A PORTARSI SOTTO IL PALCO! VENITE SOTTO IL PALCO! STATE CALMI! LASCIATE POSTO ALLA CROCE BIANCA! LASCIATE IL PASSO! LASCIATE IL PASSAGGIO ALLE MACCHINE! LASCIATE IL PASSAGGIO ALLE MACCHINE! TUTTI IN PIAZZA DELLA VITTORIA!»*

## Mauro De Mauro
*Palermo, 16 settembre 1970*

Questa è la storia di uno dei piú lunghi e piú oscuri dei tanti Misteri d'Italia, quasi una specie di simbolo, di caso emblematico. Talmente complicato, intricato e tortuoso che proprio questo è diventato: un «caso», quasi che non fosse neanche piú una storia vera, con un uomo vero al centro.

Perché questo «caso De Mauro» parla di un uomo, e non solo di lui, parla di una donna, di due ragazze, di poliziotti e di carabinieri, di faccendieri, politici, spie, mafiosi, petrolieri e giornalisti. E di un regista.

Se fosse un romanzo sarebbe un romanzo di Andrea Camilleri, ma talmente cattivo, oscuro e pericoloso da far passare la voglia di scherzare anche al commissario Montalbano.

Questa è la storia di un giornalista che si chiamava Mauro De Mauro.

Inizia a Palermo, il 16 settembre 1970.

Viale delle Magnolie è una strada nuova della Palermo di allora, ancora male illuminata. Sono le nove di sera e al numero 58 ci sono alcune persone sul portone, una ragazza e il suo fidanzato. Stanno per salire a casa di lei ed è una sera importante, quasi una presentazione ufficiale perché il ragazzo, pochi giorni dopo, diventerà suo marito.

La madre è già di sopra, manca solo il padre che infatti sta arrivando, la ragazza lo vede, sta parcheggiando la sua Bmw all'altro lato del marciapiede. Scende, con alcuni pacchetti in mano. La ragazza e il ragazzo lasciano la porta aperta, entrano nel palazzo, chiamano l'ascensore ma il padre non è ancora entrato, dietro non c'è, cosí la ragazza torna sui suoi passi a vedere cos'è successo.

E vede qualcosa di strano.

Il padre è tornato in macchina, ma non da solo, assieme ad altre due o tre persone, come sbucate dal nulla. La ragazza ne sente parlare una, una voce dall'accento di lí, accento palermitano. Dice una parola sola che suona come «ammuninne», andiamo.

Poi il padre della ragazza mette in moto la macchina, un po' bruscamente, e si allontana.

È strano, ma a volte succede che il padre abbia qualcosa da fare all'improvviso e debba allontanarsi un momento. Fa il giornalista, ed è sempre molto occupato. Tra l'altro, poco prima di uscire dal giornale aveva anche telefonato alla moglie per dire che comunque avrebbe ritardato. Cosí in casa decidono di aspettarlo e cenare piú tardi. Tanto, prima o poi tornerà.

Alle dieci e mezza succede qualcosa di strano per tutta la città. Manca la luce in tutta Palermo, che rimane nell'oscurità piú completa per almeno mezz'ora.

Ma non è questo a preoccupare la famiglia al 58 di viale delle Magnolie. Quello che li preoccupa è che si fa tardi, sempre piú tardi, è ormai mezzanotte e l'uomo non è ancora tornato. Per quella cena, poi, quella cena importante. Dov'è? Cosa sta facendo? Perché non avverte che sta ritardando ancora, come fa di solito?

L'uomo lavora in un giornale di Palermo. Alle tre di notte la famiglia telefona in redazione per chiedere se per caso sia lí, ma dalla redazione rispondono che non l'hanno visto. Dicono anche di non preoccuparsi, che sarà fuori per qualche motivo e che il giorno dopo, alle 7 meno un quarto, puntualissimo come sempre, sarà lí, al giornale.

Non preoccuparsi. Come si fa a non preoccuparsi? Per tutta la notte, al 58 di viale delle Magnolie, in quell'appartamento la luce resta accesa.

La mattina, la famiglia telefona ancora. Prima alle sei e mezza poi alle sette meno un quarto, ma l'uomo, il giornalista, al giornale non c'è. A questo punto non si può pensare ad altro: gli è successo qualcosa. La famiglia dell'uomo, i colleghi giornalisti, gli amici, cominciano a telefonare a tutti, agli ospedali, al pronto soccorso. E vanno alla polizia, naturalmente, alla Squadra mobile.

È il giorno dopo, il 17 settembre, che le cose si precisano. Perché è proprio quel giorno che viene ritrovata la macchina, in pieno centro, quella Bmw che De Mauro stava parcheggiando sotto casa. Intatta, a posto, sul sedile posteriore quei pacchetti che aveva in mano quando lo aveva visto la figlia. Caffè, sigarette e una bottiglia di vino comprate a un bar verso le nove meno un quarto, quando si era fermato a bere un aperitivo.

Di lui, dell'uomo, nessuna traccia. Semplicemente, non c'è piú.

È scomparso, come se non fosse mai esistito.

E invece quell'uomo esisteva, eccome. Il suo nome era anche molto conosciuto. Si chiamava Mauro De Mauro ed era un giornalista dell'«Ora».

*C'è una foto di Mauro De Mauro, che lo ritrae alla sua scrivania, al giornale, il volto quadrato, dal naso rotto incredibilmente adunco, il telefono in una mano e nell'altra una sigaretta il cui fumo, salendo, gli sta quasi coprendo gli occhi.*

*Lucio Galluzzo era un collega di De Mauro.*

*Dice: «Per la mia generazione è stato sicuramente un punto di riferimento. Era un giornalista che ha contribuito a fare dell'«Ora» ciò che «L'Ora» poi è diventata. Era una persona estremamente intelligente, estremamente versatile, Mauro scriveva molto bene, era estremamente veloce nella scrittura, molto attento ai temi della Mafia, della criminalità. Come persona era molto estroverso. Andare a cena con Mauro era una cosa molto simpatica, perché intanto era una persona che sapeva parlare di molte cose».*

Il protagonista della nostra storia è lui, Mauro De Mauro. Non è l'unico personaggio importante di questo caso, ce ne sono molti altri, personaggi incredibili, personaggi da romanzo, ma per ora si tratta di lui, l'uomo scomparso.

Quando scompare Mauro De Mauro ha 49 anni, è sposato ed è padre di due figlie. C'è una prima contraddizione nel personaggio di De Mauro, ed è il suo passato politico. Al momento della sua scomparsa lavora come caposervizio in un giornale di sinistra come l'«Ora» ma lui è, o almeno, era, un uomo di destra. Durante la guerra ha combattuto nella X-Mas del principe Junio Valerio Borghese e dopo l'8 settembre ha continuato a combattere per la Repubblica di Salò.

Dopo la guerra, alla fine degli anni Quaranta De Mauro è a Palermo, dove cerca lavoro come giornalista. All'inizio il suo passato torna a galla e anche se è stato completamente scagionato da qualunque accusa di eventuali crimini commessi durante la guerra, fa fatica a trovare un posto fisso, poi però sono proprio i giornali di sinistra ad aprirgli le porte e ad accettarlo. Perché? Perché è bravo e nella sua battaglia per la verità e la giustizia è leale e coscienzioso quanto i suoi colleghi dal passato democratico.

«Un personaggio un po' bizzarro ma con un cuore immenso, uno sregolato ma straordinario», come lo definisce Igor Mann. «Con l'interesse tipico di noi giornalisti».

E Mauro De Mauro è un giornalista, uno di quelli che tira tardi al giornale, in maniche di camicia, a battere a macchina e fumare una sigaretta dietro l'altra, a caccia di notizie. Un personaggio da romanzo, anche lui.

Dov'è De Mauro? È scomparso, va bene, ma dov'è finito?

C'è quella macchina, quella Bmw trovata in pieno centro a Palermo, che significa una cosa sola.

È stato rapito.

Per essere rapiti, dovunque, anche a Palermo, anche in quegli anni, ci vuole un motivo.

I soldi, per esempio, un riscatto da chiedere. Ma De Mauro non è ricco, lavora, fa il giornalista, è un uomo come tanti, con una casa, una famiglia da mandare avanti... no, i soldi non c'entrano.

Allora il lavoro, il suo lavoro da giornalista.

*Lucio Galluzzo.*

*Dice: «Quella sera mi fece una telefonata e mi disse se c'erano novità. Io gli dissi che novità non ce n'erano, "ma è molto tempo che non ti sento, che stai facendo?" E lui mi disse, "ah ma sai, ho una grossa cosa nelle mani". Dal tono della sua voce mi sembrò che mi annunciava qualcosa di grosso, col tono evasivo di chi non vuole rivelare quello che sta facendo, che è fisiologico per il tipo di lavoro che facciamo. Disse poi "appena ti vedo ne parliamo". Non l'ho piú rivisto».*

Mauro De Mauro è un bravo giornalista, uno di quelli che le notizie le trova e sono sempre notizie importanti. Di cosa si occupa all'«Ora»? Sport, calcio soprattutto. Da qualche mese è stato promosso alle pagine sportive del quotidiano, perché il direttore, Vittorio Nisticò, vuole rilanciare quel settore e ha bisogno di un giornalista bravo. Sport. Niente di pericoloso, neppure a Palermo, neppure in quegli anni.

Va bene, ma prima?

*La signora De Mauro viene intervistata diciassette giorni dopo la scomparsa del giornalista. Ha l'aria stanca nel filmato in bianco e nero che la riprende a casa, nello studio del marito. A volte sussurra, la signora Elda, strascicando le parole.*

*«Una volta sola ho avuto paura, tanti anni fa, nel '63 mi pare, ora non ricordo. Per una telefonata piuttosto dura. Mio marito era fuori per un servizio ad Agrigento, guardi, era il caso Tandoy, e la persona che parlava al telefono era una persona un poco rozza, siciliana senz'altro. Mi diceva "tuo marito è ad Agrigento. Non lo cercare perché gli abbiamo chiuso la bocca per sempre con due "balladoni", che in siciliano significa due grosse pietre, due massi. È stata una giornata terribile, che poi è finita nel nulla, prima di tutto perché mio marito ha telefonato, dopo poco, una mezz'oretta. E poi perché è tornato».*

Il caso Tandoy, la morte di un commissario di polizia ucciso ad Agrigento in circostanze misteriose. Ma è stato negli anni Sessanta, quasi dieci anni fa, cosa c'entra il commissario Cataldo Tandoy? Niente, probabilmente. E allora? C'è chi ha un'idea, un'idea precisa. I carabinieri.

Il comandante della Legione di Palermo è un colonnello molto deciso che si chiama Alberto Dalla Chiesa. Il colonnello Dalla Chiesa e il capitano Giovanni Russo, che comanda il nucleo investigativo, hanno un'idea precisa.

È una storia di criminalità. Mauro De Mauro è stato rapito perché ha scoperto qualcosa su un traffico di droga tra la Sicilia e gli Stati Uniti. Ha scoperto il luogo in cui la droga viene fatta sbarcare e quando Dalla Chiesa e Russo vanno a casa della famiglia De Mauro mostrano alla signora Elda alcune fotografie trovate nella macchina del marito.

La signora, però, non è convinta: quelle fotografie sono vecchie e fanno parte del redazionale pubblicitario di un albergo. Il colonnello Dalla Chiesa e il capitano Russo insistono: è Mafia. De Mauro, una volta, ha anche inveito violentemente contro la Mafia, di fronte a un ascensore guasto. La signora continua a non essere convinta: Mauro inveiva sempre contro la Mafia, anche quando mancava l'acqua o la luce... è una ragione sufficiente?

Il colonnello Dalla Chiesa insiste. È criminalità. È Mafia. È il traffico di droga.

La polizia, invece, ha un'altra idea. A occuparsi del caso De Mauro sono il capo della Squadra mobile Bruno Contrada e il suo vice, Boris Giuliano. C'era qualcos'altro di cui si stava occupando De Mauro nei giorni della sua scomparsa. Il lavoro come capocronista di sport gli lasciava abbastanza tempo libero. C'era qualche altro lavoro che stava seguendo.

*Bruno Contrada.*

*Dice: «Nella fase iniziale delle indagini abbiamo dato rilievo alla pista Mattei. Era logico accertare qualcosa a partire dall'attività di Mauro De Mauro poco prima della sua scomparsa, e questa era stata la sua attività, preparare questo lavoro che consisteva nel ricostruire le ultime ore di Mattei in Sicilia».*

Mattei, Enrico Mattei, un altro dei grandi misteri italiani.

Enrico Mattei era il presidente dell'Eni, l'Ente nazionale idrocarburi, uno degli uomini piú potenti d'Italia, sia a livello economico che, soprattutto, politico.

Il 27 ottobre 1962 l'aereo privato di Mattei precipita su un prato a Bascapè, vicino Pavia. Sembra un incidente, ma fin dall'inizio ci sono molti sospetti. È davvero un incidente? È davvero un caso quello che ha tolto di scena con un colpo solo l'uomo che con grande dinamismo e spregiudicatezza stava intrecciando relazioni con i Paesi arabi produttori di petrolio minando il monopolio delle grandi compagnie americane?

Secondo la commissione parlamentare d'inchiesta istituita nel '62 da Giulio Andreotti, è un incidente. Per la magistratura di Pavia potrebbe essere un'altra cosa, ma questo per adesso non ci interessa. Questa è un'altra storia.

Per ora questa è la storia di Mauro De Mauro, il giornalista scomparso. E cosa c'entra Mauro De Mauro con Mattei?

L'aereo di Mattei cade a Pavia, ma parte dalla Sicilia e precisamente dall'aeroporto di Fontanarossa, vicino Catania.

Quasi dieci anni dopo c'è un regista, Francesco Rosi, che vuole girare un film sul presidente dell'Eni. Ha bisogno di ricostruire le ultime ore di Mattei e su consiglio di alcuni amici affida a un giornalista siciliano il compito di raccogliere informazioni. Questo giornalista è Mauro De Mauro.

*Francesco Rosi.*

*Dice: «Io e il produttore Franco Cristaldi ci rivolgemmo a De Mauro, perché fra l'altro sapevamo che aveva fatto un lavoro simile per altre produzioni di cinema, per ricostruire le due ultime giornate di Mattei in Sicilia, e non per chiedergli di scrivere una sceneggiatura come qualcuno erroneamente ha detto».*

*Dice: «Nel film io ho riprodotto la telefonata tra me e lui, quando io gli chiesi questa collaborazione e lui mi disse caschi bene, perché il mio giornale mi ha mandato a Gagliano per fare un servizio dopo la morte di Mattei».*

*Anche la signora Elda, sempre in quell'intervista, dopo diciassette giorni che Mauro non dà segno di vita: «Doveva ricostruire gli ultimi giorni di Mattei in Sicilia, per Francesco Rosi. Come siano andate le cose non lo sappiamo. Che cosa lui ha incontrato interrogando le persone che hanno avvicinato Mattei in quelle ultime ore non lo sappiamo. A casa mi disse: "Qualcosa di grosso ho fra le mani", ma che cosa non l'ha detto. Stranamente per la prima volta».*

È per questo che è stato rapito Mauro De Mauro? Non lo sappiamo, non ancora, almeno. Prima di rispondere alle domande dobbiamo inserire uno di quei personaggi di cui abbiamo parlato, quelli da romanzo.

Il nostro personaggio si chiama Antonino Buttafuoco, il cavalier Buttafuoco. Magro, anziano, gira sempre con un bastone di canna, il panama bianco e gli occhiali scuri. Il cavalier Buttafuoco è una persona molto nota, a Palermo. È il commercialista di molte famiglie, tra cui anche quella di De Mauro.

Il cavaliere si fa vivo subito, il 17 settembre, alle nove di sera, solo 24 ore dopo la scomparsa di De Mauro, quando né la radio né la Tv hanno ancora diffuso la notizia. Chiede se ci sono novità e sul momento nessuno riesce a capire perché abbia telefonato.

Il cavaliere torna a farsi vivo qualche giorno dopo e il 20 settembre va a casa di De Mauro per parlare con la moglie Elda e con suo fratello, Tullio De Mauro, docente universitario e in seguito anche ministro della Pubblica istruzione. In quella conversazione il cavaliere dice che Mauro è finito nei guai perché «non è stato attento» ma che è ancora vivo. Dice anche qualcos'altro mentre scarta quelli che ritiene i motivi possibili della scomparsa: droga no, Mafia no, caso Tandoy no... Eni.

Ma piú che dire, il cavaliere chiede.

Chiama al telefono, va a trovare i De Mauro, si fa raggiungere nello studio o in un bar e chiede. Chiede di chi stia sospettando la polizia. Chiede che cosa gli agenti della Squadra mobile abbiano trovato tra le carte del giornalista. Chiede se sia stata ritrovata una busta arancione con delle notazioni sopra, se sia arrivato un nastro magnetico con delle voci registrate.

Dice anche, alla signora De Mauro, di andare dal questore, a colloquio privato, e di farsi dare tutti i nomi su cui stanno indagando, tutti gli elementi di cui dispongono.

«Poi venga – dice, – e mi riferisca tutto».

È ambiguo l'interessamento del cavalier Buttafuoco, molto ambiguo. Tanto che la polizia comincia a insospettirsi.

*Bruno Contrada.*

*Dice: «Ponemmo sotto controllo i telefoni del ragionier Buttafuoco, proprio per la sua insistenza a sapere tutto quello che ci riguardava. Ricordo che per ascoltare le conversazioni tra la signora De Mauro e il ragionier Buttafuoco, il collega Giuliano e io eravamo in una stanza di un ambiente attiguo per sentire quello che si dicevano, naturalmente con la consapevolezza della signora. I mezzi tecnici, allora, erano scarsi».*

Il 19 ottobre il sostituto procuratore Saito, che coordina le indagini, fa arrestare il cavalier Buttafuoco per «concorso con ignoti nel sequestro di Mauro De Mauro».

Il cavaliere, secondo la polizia, sa troppe cose per non

entrarci nulla. Anzi, come dice in una conferenza stampa il questore Li Donni, «Buttafuoco c'è dentro fino al collo».

L'arresto del cavaliere, questo sviluppo improvviso e imprevisto, concentra l'attenzione di tutti gli inviati dei giornali nazionali, che già si trovavano a Palermo per una importante riunione della commissione antimafia. Restate in città, dice il questore ai giornalisti, perché a Palermo potrebbe esserci uno spettacolo.

L'inchiesta, infatti, prosegue velocissima, promettendo continue rivelazioni e colpi di scena.

Trapelano notizie. Il caso De Mauro sta seguendo una pista in salita, una pista che conduce molto in alto. Secondo il questore Li Donni, è come una clessidra: Buttafuoco al centro e sopra e sotto, tra la sabbia, mandanti ed esecutori. La svolta riguarda il mondo politico e affaristico. La polizia sarebbe pronta a un nuovo arresto. L'arresto di Mister X.

A mettere nei guai Mister X, scrivono i giornali, sarebbe stata una telefonata molto importante, fatta da Buttafuoco poco dopo la scomparsa di De Mauro. Buttafuoco avrebbe chiamato qualcuno a Parigi e questo qualcuno avrebbe deciso la sorte di De Mauro.

Qualcuno, Mister X. Ma chi è Mister X?

«Non è mai stato intervistato», scrive Giampaolo Pansa su «Stampa Sera», «non ha mai seduto in Parlamento, non ha mai ricoperto cariche pubbliche, non vive nella politica ufficiale ed è comparso sui giornali molto di rado». Per Giuseppe Colomba, del «Messaggero», «è stato il prezzemolo e il sale di tutti i calderoni siciliani».

Per Mario Pendinelli, invece, Mister X ha un nome e cognome e lo scrive sul «Mondo», il 15 novembre 1970.

Si chiama Vito Guarrasi.

Anche Vito Guarrasi è uno dei nostri personaggi da romanzo. Quando scoppia il caso De Mauro l'avvocato Guarrasi ha 56 anni. Le sue scarne biografie lo indicano prima vicino ai comunisti, poi ai monarchici, quindi radicale, ispiratore del governo siciliano di Milazzo, che unisce Pci, Msi e alcuni cattolici in un inedito esperimento politico, amico di comunisti e industriali, massone. È presente alla firma dell'armistizio di Cassibile tra l'Italia e gli Alleati, nel '45. È amico dei servizi segreti americani. È amico del cavalier Buttafuoco. È consulente dell'Eni. Anche se non compare mai, è uno dei protagonisti della vita economica siciliana. In una intervista all'«Europeo» nel '94, pochi anni prima di morire, dice che quando morirà lo liquideranno «con due parole molto siciliane: fu un uomo intelligente. E chiacchierato».

È lui Mister X, il pezzo grosso che sta per essere arrestato? Lui dice di no, decisamente, anzi, ha sempre querelato chiunque lo avesse messo in relazione con De Mauro e Mattei. E la polizia? La polizia non dice niente. Improvvisamente l'inchiesta, cosí vicina a un colpo di scena spettacolare, si blocca e piano piano fa marcia indietro. Il rapporto della polizia è atteso per il 14 novembre, ma quel giorno i giornali titolano: «Buttafuoco, colpo di scena: la polizia rinuncia a presentare il rapporto annunciato per oggi».

Lo presenterà il 17 novembre e sarà un rapporto di tono completamente diverso. Buttafuoco viene scarcerato, e in seguito, nel 1983, sarà prosciolto da ogni accusa. Niente piú pista Mattei.

Altre piste, ancora da battere.

*Bruno Contrada*.

*Dice: «Svolgemmo delle indagini per stabilire se la scom-*

*parsa di Mauro De Mauro fosse da collegare al golpe Borghese, o al presunto golpe Borghese».*

*Dice: «Dopo ci interessammo di un'altra pista investigativa. E cioè di quella che interessava l'attività di Nino e Ignazio Salvo, i noti esattori siciliani».*

Contemporaneamente, torna a galla l'ipotesi dei carabinieri.

Il colonnello Dalla Chiesa va in procura a consegnare il suo rapporto, il «rapportone», l'hanno chiamato. Decine di arresti e mandati di cattura. Hanno anche una testimonianza, presa a verbale. È quella del presidente dell'ente minerario siciliano Graziano Verzotto, ex segretario regionale Dc, senatore ed ex capo Relazioni pubbliche dell'Eni. La pista, sempre quella: la droga, la criminalità e la Mafia.

E Mauro De Mauro? Dov'è? L'hanno rapito ma dov'è finito? L'hanno nascosto, lo tengono prigioniero, è morto? Dov'è?

Per tanto tempo le forze dell'ordine lo cercano senza sosta, con enorme spiegamento di forze, seguendo ogni segnalazione. Ma niente. Lo cercano loro, lo cercano tutti, ma soprattutto lo cerca la famiglia. Lo aspetta, con speranza.

*La signora Elda, sempre piú stanca, ancora quei diciassette giorni senza sapere niente del marito.*

*«Le finestre sono sempre aperte, le persiane alzate, la casa è sempre illuminata. Mi sembra che se per un motivo qualsiasi dovesse tornare, lui vede la casa illuminata... non so come dire, io sono alla finestra, io l'aspetto. A volte mi butto proprio sul letto verso l'alba perché dico "oramai arriva il giorno". È triste... pensare che le mie notti passano cosí, io che ho sempre avuto bisogno di una protezione. Non ho piú questa*

*protezione. Ho soltanto il buio di questa strada, è un buio cupo, minaccioso. È come se si vedessero tante mani tese».*

Anche la signora Elda è un personaggio da romanzo. Triste, sconvolta, ma anche dura e decisa, insiste assieme alle figlie e al fratello di De Mauro perché le indagini vadano avanti, perché salti fuori qualcosa, perché venga trovato suo marito. È energica la signora Elda, è ostinata ed è anche arrabbiata. Il giornale di De Mauro, l'«Ora», pubblica un appello in prima pagina in cui c'è scritto «Aiutateci».

«Mauro De Mauro de "L'Ora" manca ormai da cinque giorni», è scritto sopra il titolo a caratteri piú piccoli. «È stato sequestrato sotto i vostri occhi». Poi il titolo, grande, in bianco su una fascetta nera: «AIUTATECI».

Ma l'aiuto, una voce, una soffiata, una testimonianza, non arriva e la signora Elda si fa intervistare dalla televisione, accusando di omertà la Sicilia e i siciliani. Dice di odiare Palermo e conclude con le lacrime agli occhi. Aiutateci.

*La signora Elda, con una mano sulla fronte, appoggiata alla scrivania del marito. Stanca.*

*«Aiutateci... ma chi ci aiuta. Fino a quando mio marito non tornerà io odierò Palermo. Palermo e i siciliani, tutti, perché è gente che non ha il coraggio di aprire la bocca, di parlare, di stendere la mano e dire ti aiuto. Nessuno ha teso la mano».*

C'è anche chi cerca di fermarla, la signora Elda. È lei stessa a raccontarlo. Fa l'insegnante di educazione fisica e un giorno le arriva dal ministero un ordine di trasferimento a Roma. A Roma? In quel momento? Con tutto quello che sta succedendo? La signora Elda protesta, riesce a bloccare il provvedimento, e parla con un funzionario che le dice, è sempre lei a sostenerlo, che c'è stato un ordine ben preciso, da qualcuno. «Trasferire la De Mauro».

Dura e decisa, la signora Elda.

Piano piano, però, l'attenzione sul caso De Mauro si allenta. Le ipotesi sulla scomparsa del giornalista si accavallano, i carabinieri con la droga, la famiglia con la pista Mattei, la polizia, i giornalisti, tante ipotesi che fanno del caso De Mauro una specie di buco nero, di voragine in cui tutto precipita e scompare, tutto e il contrario di tutto, come accade con i grandi misteri. E soprattutto: lui, Mauro De Mauro, il giornalista, non si trova piú.

Dov'è? Cosa gli è successo? Perché è scomparso?

Vediamo le ipotesi.

La prima, quella della droga, quella del colonnello Dalla Chiesa. Mauro De Mauro sarebbe stato rapito e ucciso dalla criminalità per qualcosa che aveva scoperto sul traffico di stupefacenti.

Sono stati in pochi a prenderla in considerazione, a partire dalla magistratura, che l'ha ritenuta priva di fondamento, anzi, una vera e propria perdita di tempo. C'è chi parla di depistaggio, come il giudice istruttore Mario Fratantonio e il pubblico ministero Vincenzo Calia.

E Graziano Verzotto. È anche lui uno dei nostri personaggi da romanzo. Nel 1975 scappa dall'Italia inseguito da un ordine di cattura per interessi privati in atti d'ufficio. Condannato a otto anni, vive prima a Beirut poi a Parigi, per sedici anni. Torna in Italia soltanto quando potrà beneficiare dell'indulto.

Interrogato dal sostituto procuratore Calia il 4 settembre 1998, lo dice chiaramente.

«Ammetto di aver depistato. Tale depistaggio mi venne suggerito dai carabinieri».

La Mafia comunque c'entra, almeno a livello di esecutori. Ma chi erano quei tre uomini a bordo della macchina di De Mauro? Per chi lavoravano? Chi li mandava?

*Il dottor Antonio Ingroia è pubblico ministero presso la procura di Palermo.*

*Dice: «Negli omicidi di Mafia, in particolare un certo tipo di omicidi di Mafia, soprattutto per le cosiddette scomparse, quelle che si chiamano in Sicilia "lupare bianche", la modalità del rapimento a cui segue la soppressione ha una duplice finalità ben precisa. La prima è quella di sottoporre a, chiamiamolo cosí, impropriamente, interrogatorio da parte dei mafiosi il sequestrato, quando cioè Cosa Nostra ha bisogno di avere dal sequestrato informazioni, per sapere cosa sa il sequestrato e cosa può avere passato a terzi. La seconda è quella di sopprimere il cadavere. La soppressione del cadavere significa eliminare le tracce e rendere piú difficile le indagini».*

La seconda ipotesi è quella della pista Mattei.

È sostenuta dal pubblico ministero Vincenzo Calia, sostituto procuratore della Repubblica al tribunale di Pavia, che il 16 ottobre del 2000 ha trasferito gli atti al sostituto procuratore Ingroia, della procura di Palermo, che riapre le indagini.

*Il dottor Ingroia.*

*Dice: «La procura di Pavia, in un certosino lavoro di ricostruzione di atti, nuove audizioni di testimoni e fatti, cosa non facile, naturalmente, a distanza di quasi quarant'anni, ha acquisito ulteriori elementi che fanno ritenere piú che plausibile che in effetti Mauro De Mauro stesse indagando a fondo sulla morte di Enrico Mattei e fosse venuto a conoscenza di cose che avevano riguardato la sua eliminazione».*

Mauro De Mauro sarebbe stato rapito per qualcosa che aveva scoperto ricostruendo le ultime ore di Mattei in Sicilia. Qualcosa di grosso.

*Francesco Rosi.*

*Dice: «Dopo l'accordo che Mauro fece con la produzione dopo la telefonata, io non l'ho mai piú visto, né sentito, né incontrato, né ho mai ricevuto da lui carte o alcunché. Mai. Le uniche carte che io abbia mai visto sono una decina di fogli di appunti, anche molto sintetici, molto scribacchiati, in alcune pagine c'era solo qualche parola scritta, che il giudice Terranova mi mostrò alla fine di un colloquio che volle avere con me a Palermo. La cosa che mi stupisce è che Mauro, durante le sue ricerche, non abbia mai sentito il bisogno di farsi sentire da me, di comunicarmi almeno qualcosa».*

De Mauro, comunque, sembrava entusiasta di questo lavoro. Ne parlava spesso. Junia, la figlia piccola, aveva segnato tutto in un diario, scrupolosamente. Secondo lei, una volta, alla moglie aveva iniziato a dire: «sSai cos'ha fatto il presidente...» ma poi si era interrotto. Che presidente... Mattei? E cosa aveva fatto? Non lo sappiamo, però a piú persone confida di avere in mano «una bomba», scoperta lavorando per il regista Rosi.

De Mauro, scrupoloso e zelante com'è, va a Gagliano, vicino Catania, dove Mattei ha tenuto l'ultimo discorso prima di salire sull'aereo. È bravo, De Mauro, e riesce a procurarsi un sacco di informazioni. Parla con la gente del posto e riesce a ottenere anche un nastro con le registrazioni del discorso tenuto da Mattei quel giorno. Poi contatta e intervista anche altra gente.

Gente interessante.

Tra le persone che incontra c'è proprio lui, Graziano Verzotto.

De Mauro va a incontrarlo a casa sua il 14 settembre, e Verzotto gli racconta molte cose. Gli dice anche di andare a parlare con altre persone. Ma se poi De Mauro ci sia andato davvero, il senatore Verzotto non lo sa.

Rapito e ucciso da killer mafiosi per qualcosa che aveva scoperto sulle ultime ore di Mattei. Interrogato su dove avesse messo il dossier e cosa avesse raccontato in giro e poi fatto sparire. Ma perché allora le indagini della polizia si sono fermate? Sembravano a un passo dal colpo di scena, poi piú niente. Perché?

Se lo chiese allora anche il sostituto procuratore Saito. Prima il suo ufficio sembrava un porto di mare, polizia, carabinieri, avanti e indietro ognuno con la propria pista. Poi, all'improvviso, proprio a metà novembre piú niente. Un giorno il dottor Saito incontra il commissario Boris Giuliano e glielo chiede: perché non ci sono piú sviluppi? Secondo quanto Saito racconta al sostituto procuratore Calia, Giuliano si stupisce.

Come, non lo sa? C'è stato un incontro, in un night club, dalle parti di Cardillo.

All'incontro hanno partecipato i responsabili della polizia palermitana e i vertici dei servizi segreti, tra cui il direttore, il generale Vito Miceli. L'ordine era stato chiaro: annacquare le indagini. Fermarsi, insabbiare. Giuliano non è contento di come si mettono le cose, tanto che al fratello di De Mauro, al professor Tullio, dirà di sentirsi come un vigile urbano che regola il traffico in un aeroporto con una paletta, un semplice vigile con una paletta in mezzo a veicoli molto piú grossi di lui.

Terza ipotesi. Durante la guerra, l'abbiamo visto, Mauro De Mauro era stato nella X-Mas, uno dei corpi scelti della Repubblica sociale italiana, quasi un esercito personale del principe Junio Valerio Borghese. E come molti marò della X anche De Mauro era stato fedelissimo al principe, tanto da voler chiamare le sue figlie Franca Valeria e Junia. Poi le cose erano cambiate, ma c'è una coincidenza che fa pensare. Sí, perché proprio in quell'anno, il 1970, pochi mesi dopo la scomparsa di De Mauro, avviene qualcosa che potrebbe anche riguardarlo.

Nella notte tra il 7 e l'8 dicembre del '70 l'ex comandante della X-Mas, Junio Valerio Borghese, assieme a militari e fedelissimi marcia su Roma nel tentativo di realizzare un colpo di Stato. Con loro ci sono anche elementi della destra siciliana ed esponenti di Cosa Nostra, che cercheranno addirittura di occupare il ministero dell'interno, come racconterà – oltre a Luciano Liggio e Tommaso Buscetta – anche il collaboratore di giustizia Antonino Calderone.

Nel mese di luglio il principe Borghese era proprio a Palermo. È possibile che lo abbia contattato? È possibile che De Mauro fosse venuto a sapere qualche cosa da parte di ex camerati? È possibile che la Mafia coinvolta nel tentativo di golpe lo abbia considerato una minaccia e quindi lo abbia fatto sparire?

*Il dottor Ingroia.*

*Dice: «Ci sono delle risultanze che porterebbero a possibili collegamenti tra la scomparsa di De Mauro e il golpe Borghese. In particolare se potesse essere venuto a conoscenza del golpe e se questo potesse aver contribuito alla sua eliminazione. Sono piste diverse, rispetto alle quali le indagini sono in corso per verificare se sono moventi compatibili tra loro e quale movente sia stato la causa dell'omicidio di De Mauro».*

Ipotesi. Ce n'è un'altra sulla quale stava indagando il commissario Giuliano. Parte dal fatto che De Mauro, il mese prima del sequestro era andato alla cancelleria commerciale del tribunale di Palermo e aveva chiesto in visione il fascicolo di una delle esattorie dei cugini Salvo, indagata per evasione fiscale. E i cugini Ignazio e Nino Salvo, secondo molti magistrati, sarebbero la Mafia dei colletti bianchi.

*Il dottor Ingroia.*

*Dice: «L'autorità giudiziaria in genere non vuole dimostrare nulla di precostituito. Si tenta di dare la riprova che anche a distanza di trenta o quarant'anni si può ristabilire la giustizia. Chiaro che ogni indagine su fatti cosí lontani nel tempo è molto piú difficile. Ma spesso i fatti di Mafia non sono "fatti" per cui dobbiamo rassegnarci all'impunità dei responsabili. Magari in ritardo, con forte ritardo, sicuramente eccessivo per i famigliari, la giustizia spesso arriva».*

Ipotesi, ipotesi che si rincorrono, girano e precipitano sul fondo, fino a scomparire. Come sono scomparsi tanti dei protagonisti di questa storia. Il capitano Russo e il colonnello Dalla Chiesa, uccisi dalla Mafia nel '77 e nell'82. Il commissario Boris Giuliano, uno dei poliziotti piú intelligenti e piú bravi della questura di Palermo, ucciso nel 1979.

E Mauro De Mauro?

Dov'è finito? Qual è la verità?

*La signora Elda.*

*«Io la saprò la verità, guardi, devo arrivarci. Non per vendetta... voglio sapere. Io ci arriverò, devo arrivarci. Spenderò questi pochi o tanti anni che mi rimangono alla ricerca della verità».*

## Enrico Mattei
*Bascapè, 27 ottobre 1962*

Questa è la storia di un uomo, o meglio, di tanti uomini, alcuni importanti e altri no, che contribuiscono a creare uno dei piú grandi Misteri d'Italia, quasi il Mistero dei Misteri, quello da cui sono nate tante altre storie inquietanti e complicate.

Un mistero vecchio, un mistero degli anni Sessanta, ma ancora attualissimo perché, per quanto possano sembrare lontane, tutte queste storie sono ricche di sviluppi recenti, radici di quello che succede ora.

Questa storia parla di petrolio, di Paesi del terzo mondo, di politica internazionale, degli Stati Uniti, dell'Italia e dei Paesi arabi.

E soprattutto di un mistero. Il mistero della morte di Enrico Mattei.

Inizia a Bascapè, in provincia di Pavia, il 27 ottobre 1962.

Sono le ore 18 e 54 e c'è un aereo che sta volando nel cielo del Nord Italia, in dirittura di Linate.

È partito da Catania due ore prima e sta seguendo la rotta canonica, Catania-Reggio Calabria-Ponza-Elba-Genova-Voghera-Linate. È un piccolo aereo, un Morane-Saulnier di fabbricazione francese, di proprietà della Snam. Un MS 760, piccolo ma affusolato e aerodinamico, molto veloce, con due reattori. A bordo ci sono tre uomini, il pilota e due passeggeri.

18 e 54.
Tra poco piú di tre minuti saranno morti.

Dei tre passeggeri del Morane-Saulnier, uno si chiama Irnerio Bertuzzi, è nato a Rimini e ha 45 anni. È un pilota privato, molto esperto, con otto anni di carriera in Alitalia e adesso comandante della flotta aerea privata dell'Agip.

Il secondo è un giornalista di New York che si chiama William McHale, ha 42 anni e lavora per la rivista americana «Time». McHale è su quell'aereo perché sta facendo un servizio sull'altro uomo che si trova sul piccolo Morane-Saulnier. Il terzo uomo, infatti, è il piú importante.
Molto importante.
Si chiama Enrico Mattei.

18.55. Il piccolo Morane-Saulnier è in rotta con il radiofaro di Linate. Il capitano Bertuzzi comunica con la torre di controllo dell'aeroporto, dice la propria sigla, «I-Snap», e annuncia: «Sono a 2000 piedi, sono in virata di base». Il tempo non è bello, non piove, ma c'è stato un temporale e non c'è molta visibilità. La torre di controllo glielo chiede: «Quando vi presenterete?»
«Tra due minuti», dice Bertuzzi, «un minuto e mezzo».

Ha 56 anni ed è nato ad Acqualagna, in provincia di Pesaro. È il presidente dell'Eni, l'Ente nazionale idrocarburi, la piú importante agenzia petrolifera italiana, quella statale. Ma Enrico Mattei non è solo un importante dirigente statale. Come presidente dell'Eni, Mattei è a capo di un impero che controlla giacimenti di metano e pozzi petroliferi, oleodotti e contratti miliardari in tutto il mondo.
I giornali di tutto il mondo lo definiscono «l'uomo piú

potente d'Italia», l'unico italiano di rilevanza internazionale, «l'italiano piú potente dopo l'imperatore Augusto». Giulio Andreotti lo definisce semplicemente «un italiano moderno».

Ore 18, 56 minuti e 30 secondi. L'I-Snap, il piccolo Morane-Saulnier con le tre persone a bordo, sta compiendo la manovra d'atterraggio.

Perché è cosí importante, Enrico Mattei? Intanto perché è un uomo in gamba e poi perché è un uomo molto deciso. Una specie di genio per quanto riguarda l'amministrazione e gli affari. La sua non è una famiglia ricca, la madre è una casalinga e il padre un sottufficiale dei carabinieri, e Mattei deve abbandonare la scuola alla terza media per mettersi a lavorare in una conceria.

Ma pochi anni dopo è già il direttore di quella fabbrica, con 150 dipendenti, poi si sposta a Milano e ne fonda una sua, l'Industria chimica lombarda, e prende anche il diploma di ragioniere.

Ore 18, 57 minuti e 10 secondi.

Il Morane-Saulnier è sempre piú vicino a Linate, alla quota giusta e in rotta d'atterraggio.

«AP raggiunto 2000 e riporterà lasciando il radiofaro». Sono le ultime parole di Irnerio Bertuzzi, il pilota.

Finita la guerra, dove ha combattuto come partigiano nelle formazioni cattoliche, a Enrico Mattei viene affidato il compito di liquidare l'Agip, l'agenzia petrolifera statale italiana. È un carrozzone che non serve a niente, l'Agip, spreca un mucchio di soldi e poi ci sono le pressioni degli Alleati, gli inglesi e gli americani, che vogliono che il governo liquidi la società e l'Italia, bisogna ricordarlo, ha perso la guerra e non può fare quello che vuole.

Ma Enrico Mattei non ci sta.

Lui pensa che senza un'agenzia statale che si occupi dell'energia, l'Italia sarà troppo legata agli approvvigionamenti stranieri, soprattutto quelli americani. Lui pensa che l'autonomia politica dell'Italia, la sua rinascita economica, passino attraverso l'indipendenza energetica. E ha ragione.

Cosí non liquida l'Agip, la mantiene in vita, anzi, la trasforma nell'Eni, l'Ente nazionale idrocarburi. E per dieci anni lo dirige, facendo affari.

Ore 18, 57 minuti e 20 secondi. L'I-Snap, il piccolo Morane-Saulnier con due reattori in rotta d'atterraggio per Linate, scompare all'improvviso dal contatto radio.

Un attimo dopo si schianta al suolo vicino la cascina Arnaboldi, nel comune di Bascapè, in provincia di Pavia. Mancavano 15 chilometri all'inizio della pista d'atterraggio di Linate.

*Il repertorio non può essere che in bianco e nero. Del resto siamo nel 1962 ed è tutto cosí in bianco e nero, alla televisione, che almeno nei ricordi sembra fosse in bianco e nero anche la vita.*

*Ci sono uomini con le lanterne, gente con i cappucci di plastica, carabinieri. Pezzi di metallo contorto che brillano sotto la pioggia, nel buio. Lo speaker del telegiornale, con il tono ancora un po' stentoreo di quegli anni: «Siamo stati tra i primi a raggiungere il luogo dove ieri è precipitato l'aereo che recava a bordo l'ingegner Mattei, il pilota e un giornalista americano... si cammina con il fango alle caviglie» e ci sono infatti camionette spinte a mano dai vigili del fuoco, «le prime squadre scoprono la parte piú grande dell'aereo: è la coda, arde ancora».*

*La signora Greta, la moglie di Mattei, con il suo accento tedesco, pettinatura cotonata e un filo di perle attorno al collo: «Quando sono arrivata all'albergo ho visto tanta di quella gente. Dico, mah, cosa è successo. E la prima persona che mi si avvicina è il comandante Dyson. E mi dice: Enrico ha avuto un incidente. Allora ho detto, no, Enrico è morto».*

*La signora Lina, la moglie del comandante Bertuzzi. Di profilo, piú scura. Accento padano. A che ora le hanno telefonato, signora, chiede il giornalista, fuori campo, dal buio di uno studio nero, tipo «AZ – Un fatto come e perché», e cosa le hanno detto. «Mah – dice lei, – era un pilota dell'Alitalia amico di mio marito che mi chiedeva chi c'era sull'aeroplano assieme a Mattei. Per me era piú che sufficiente».*

*Il figlio di McHale, Duncan. Un americano dall'italiano quasi perfetto, che sembrerebbe un ragazzo se non fosse per la barba bianca e corta. «Nostra madre ci ha annunciato la morte di nostro padre. Ha cominciato in termini generali, di cose che occorrono. Io l'ho guardata, poi si è messa a piangere, e ha detto: papà è morto!»*

Il magistrato di turno nelle competenze di Pavia si chiama Edgardo Santachiara. Viene tirato giú dal letto da una telefonata perché è successo qualcosa a Bascapè, proprio ai limiti della sua giurisdizione. Corre sul luogo del disastro, sotto una pioggia torrenziale che intanto ha cominciato a scendere e là trova tanta gente, tantissima, carabinieri, poliziotti, vigili del fuoco... e anche curiosi, abitanti del luogo, testimoni.

*Martino Pozzato è un testimone. Allora era un giovane contadino. Forte accento lombardo, che sottolinea con decisione la fine di ogni frase. Dice: «Eh, lavoravo lí, facevo il mungitore, io, lí. Abbiamo finito di lavorare e camminavamo per l'aia quando abbiamo sentito questo botto qua. Ho detto: cosa è successo? Oh, ho sentito un boato... perché è scoppiato per aria l'aereo... allora ho messo gli stivali e sono andato a vedere».*

C'è tanta gente vicino a quella cascina di Bascapè, proprio dove l'aereo ha scavato un buco nel terreno fangoso. Ci sono molti dipendenti della Snam, che sono i primi ad accorrere in soccorso. Ci sono persone in divisa dell'Eni. Ci sono anche strani personaggi, in borghese, che fanno domande, e a un carabiniere che si trova lí, e lo dirà dopo, sembrano agenti dei servizi segreti. Ci sono i giornalisti, naturalmente. E c'è anche un investigatore privato.

*Fernando Azzolini, giornalista.*

*Dice: «Credo che fossimo i primi cronisti ad arrivare sul luogo e abbiamo incontrato per primo il famoso investigatore Tom Ponzi che arrivò a bordo di una Jaguar, si diede un gran daffare e successivamente scomparve. La seconda squadra che arrivò con i vigili del fuoco fu la questura di Milano con il questore Nardone. Io mi sono accodato e sono arrivato sul luogo. E in quel momento mi sono trovato alla cascina Albaredo vicino a un signore che stava parlando dell'incidente e fu questa persona a dirmi di aver avvertito una forte esplosione in cielo poco prima che l'aereo cadesse».*

I giornalisti, e non solo loro naturalmente, cominciano a raccogliere le prime testimonianze. Ce ne sono tante, perché c'è tanta gente che ha visto e sentito quell'aereo. C'è un uomo, in particolare, che si chiama Mario Ronchi. Mario Ronchi fa l'agricoltore e abita lí vicino. Ai giornalisti dice che stava in casa, a cena con i familiari, quando ha visto qualcosa. Cosa? Mario Rochi rilascia anche un'intervista a un giornalista della Rai, Bruno Ambrosi, dove racconta quello che ha visto. L'intervista va in onda subito, ma quando viene replicata al telegiornale il risultato è questo.

*Repertorio. Bianco e nero molto contrastato, come in un film espressionista. Bruno Ambrosi, con il microfono in mano: alla cascina Albaredo sita a circa 200 metri dal luogo in cui è caduto l'aereo... il signor Mario Ronchi... cos'ha visto e cos'ha sentito lei? Il signor Ronchi, seduto sul camino, giacca nera e camicia a quadretti, capelli che sembrano lana di ferro pettinata: «Mah, ho visto del fuoco, c'era del fuoco, delle fiamme, sarà stato le sette e dieci, sette e un quarto» e poi nient'altro, Mario Ronchi muove la bocca come un pesce in un acquario, senza emettere nessuno suono, neanche i rumori di fondo della registrazione.*

C'è un buco nel sonoro, qualche secondo e proprio su quello che ha visto Mario Ronchi. È possibile? È stato un errore del tecnico del suono?

Comunque sia, Mario Ronchi due giorni dopo viene prelevato dalla sua cascina e portato a Metanopoli, alla sede della Snam. Quando torna a casa dà la sua versione definitiva di quello che è successo.

Non era a casa, nella cascina, a cena, ma era lontano, su un trattore e non ha sentito niente perché il baccano del motore copriva tutto.

*Fernando Azzolini.*

*Dice: «Se la sera dell'incidente erano tutti loquaci e pronti a raccontare un sacco di cose, due giorni dopo non voleva parlare piú nessuno».*

È strano, come sono strane anche tutte le altre testimonianze che ruotano attorno a questa storia. Bisogna vederci chiaro e soltanto il giorno dopo, con una tempestività eccezionale, il ministro della difesa Giulio Andreotti convoca una commissione d'inchiesta e l'affida al generale di brigata aerea Ercole Savi. Che faccia lui luce su tutta la vicenda. Che faccia luce.

La mattina del 28 ottobre 1962, il generale Ercole Savi arriva a Bascapè. Ci vogliono quattro giorni per recuperare tutti i pezzi dell'aereo sepolti nel fango e quando questo accade vengono portati tutti in un hangar dell'Aeronautica militare di stanza a Linate.

Però vengono lavati.

È contrario alle norme internazionali in materia, e poi è un errore, cosí si cancellano tutte le possibili tracce, ma è cosí che succede. I resti dell'aereo vengono lavati.

Poi viene compiuta l'autopsia sui corpi di Enrico Mattei, del capitano Bertuzzi e di McHale, ma l'esame non dice niente di particolare, se non che la causa della morte è da attribuirsi a un «traumatismo pluricontusivo complesso».

E forse non avrebbe potuto dire nient'altro, in quel momento, dato che nell'impatto i tre passeggeri del Morane-Saulnier si sono praticamente disintegrati e l'autopsia viene fatta su brandelli di tessuto muscolare e lembi cutanei che non si sa bene neppure a chi dei tre appartengano. E che comunque, prima dell'autopsia, sono stati anche quelli accuratamente lavati.

La commissione d'inchiesta un'idea se l'è già fatta. Le condizioni atmosferiche non erano eccellenti. Anche se non pioveva al momento dell'incidente, era piovuto poco prima e sarebbe piovuto dopo e la visibilità non era buona. Il Morane-Saulnier è un aereo piccolo ma molto veloce e, anche se in perfetta efficienza, non è facilissimo da pilotare, tanto che qualcuno lo ha anche chiamato la «bara volante». E anche il pilota, Irnerio Bertuzzi, era un ottimo pilota, di grande esperienza, ma in quei giorni non era tranquillo, era distratto da problemi personali, ed era molto stanco.

Per la commissione d'inchiesta la spiegazione è quella: «Un incidente le cui cause sono da attribuire a perdita di controllo in spirale destra». Il pilota ha perso il controllo dell'aereo in fase d'atterraggio ed è andato giú. L'aereo si è schiantato a terra e si è incendiato.

La commissione d'inchiesta del generale Savi chiude i suoi lavori e sulla base degli elementi che ha in mano il Pm Santachiara è costretto ad archiviare.

Marzo 1963.

Caso chiuso.

Enrico Mattei e i suoi compagni di volo sono morti in un incidente aereo. I rottami del Morane-Saulnier vengono anche restituiti alla Snam, che provvede a fonderli.

I funerali di Enrico Mattei si tengono pochi giorni dopo la sua morte. Sono funerali imponenti, a cui partecipano le principali personalità politiche di quegli anni, Aldo Moro, Amintore Fanfani, Giulio Andreotti, Giovanni Leone, il Presidente della Repubblica Segni.

Poi tutto torna alla normalità. Alla direzione dell'Eni, per volontà di Fanfani, dopo qualche tempo arriva Eugenio Cefis e sul caso Mattei scende il silenzio, sia in Italia sia all'estero.

*Fernando Azzolini.*

*Dice: «Io ho notato una cosa, da giornalista. Che a questa sentenza di archiviazione non fu dato un grande risalto sulla stampa nazionale. Come l'incidente di Bascapè... fu liquidato in pochi giorni».*

*Duncan McHale, il figlio del giornalista.*

*Dice: «Nel '62 tutti dicevano un banale incidente. Un errore del pilota, è caduto, fine».*

Però sono in molti a non essere convinti. Qualcuno non crede che Enrico Mattei sia morto in un banale incidente. Non uno come Enrico Mattei.

Non uno come lui.

*Nico Perrone, è uno storico che insegna all'Università di Bari.*

*Dice: «Mattei è interprete a un livello molto elevato di una politica che da tutte le parti, nel governo e nell'opposizione, era pervasa di grandi ideali. E l'ideale di grandezza di Mattei era fare dell'Italia una potenza petrolifera e una potenza economica. Mattei concepisce il grande progetto di gestire attraverso lo Stato la principale fonte energetica: il petrolio e il metano».*

In Italia il petrolio non c'è, ma l'Italia ha bisogno del petrolio. Cosí Enrico Mattei va a cercarlo dove si trova, nei Paesi del terzo mondo, in Tunisia, in Iran, anche in Russia. Non si ferma mai, vola dappertutto con il suo piccolo aereo a reazione e stringe rapporti con i governanti delle nazioni produttrici, alcune delle quali, come l'Egitto di Nasser, hanno appena instaurato un regime nazionalista.

Ci sono già i colossi del petrolio, in quei Paesi, ci sono le Sette Sorelle, le compagnie petrolifere americane, alcune delle quali da sole hanno un fatturato pari a quello dell'Italia intera.

Ma Enrico Mattei è piú abile.

*Eccolo Mattei. Sempre in bianco e nero. Il volto magro e un po' affilato, abito chiaro, seduto su un divano di un finto salotto di uno studio televisivo. Ma a differenza dei politici di turno lui non si stravacca, non esibisce la pancia, non porta gli occhiali con le lenti a fondo di bottiglia. Nervoso, dritto sul bordo del cuscino, parla veloce, disegnando rapido, in aria, con le mani.*

*«Erano abituati a considerare i mercati di consumo come riserve di caccia per la loro politica monopolistica, e noi abbiamo cominciato a rompere questo. Vede, l'Eni ha iniziato una nuova formula che è quella di pagare i diritti che pagano gli altri e in piú di interessare il Paese al 50 per cento nello sviluppo delle sue risorse. Ma questo è soltanto il primo passo... dovrà avvenire il rapporto diretto tra il Paese produttore e il Paese consumatore. Ho visto società inglesi, americane, olandesi, tutte insieme contro di noi. Due volte credevo di aver perduto, poi abbiamo vinto. Perché abbiamo vinto? Perché abbiamo posto delle condizioni che sono molto piú umane. Perché abbiamo fatto un'associazione al 50 per cento con gli altri Paesi, che vengono a partecipare al proprio lavoro nei propri Paesi...»*

Mentre le compagnie americane offrono il 50 per cento, Enrico Mattei lascia ai Paesi produttori il 75 per cento dei profitti. Non solo, fa cambio con materiale, con tubi, con macchinari, e lo fa con tutti i Paesi, anche con l'Unione Sovietica, nonostante qualcuno lo critichi perché mette in crisi il blocco occidentale. Perché non fa solo soldi, Enrico Mattei, fa affari e facendo affari a livello internazionale fa anche politica.

*Nico Perrone.*

*Dice: «Mattei faceva politica e faceva politica in grande. Era molto legato, personalmente legato a Fanfani, era legato a Gronchi. Rapporti con una forte coloritura ideale. Gronchi e altri avevano cercato di contrastare il coinvolgimento italiano nell'alleanza atlantica. Ci sono dei rapporti allarmati dell'intelligence e della diplomazia americana».*

Chi lo ha conosciuto dice che Enrico Mattei era un uomo che non alzava gli occhi quando parlava con qualcuno, ma li teneva bassi perché era timido. Può darsi, ma nel condurre gli affari e soprattutto nell'acquistare potere, Mattei non sembra affatto timido.

Con abilità spregiudicata, per coprirsi le spalle politicamente, si appoggia ora all'una ora all'altra corrente della Dc e ne fonda anche una propria. Finanzia uomini politici, anche di altri partiti. Con i soldi del petrolio finanzia un giornale, «Il Giorno», e crea anche un servizio di informazioni che può fare concorrenza a quello di uno Stato, e che conta tra i suoi stipendiati anche molti uomini dei servizi segreti.

C'è una stima ufficiosa dei fondi neri di cui Mattei disporrebbe in quel periodo: tra i trecento e i quattrocento miliardi di lire dell'epoca, spesi chissà come.

Nel suo lavoro, Enrico Mattei ha un braccio destro. Si chiama Eugenio Cefis e tra le altre cose è vicedirettore dell'Eni.

Eugenio Cefis è un ex militare, che ha fatto parte del Sim, il servizio segreto fascista e poi della Resistenza, dove ha preso contatti anche con uomini dei servizi segreti americani. È entrato nella Dc assieme a Mattei, nella sua corrente, ed è dietro le principali operazioni dell'Eni. Anche Cefis è un uomo potente, molto potente, per lui due giornalisti come Eugenio Scalfari e Giuseppe Turani coniano il termine «razza padrona», che è anche il titolo di un libro che lo riguarda. Poi, nel 1961, il sodalizio con Mattei si rompe, e Cefis lascia l'Eni, per ritornarci dieci mesi dopo, alla morte di Mattei.

Sarà anche un timido, Enrico Mattei, ma da come fa i suoi affari, da come orchestra campagne stampa e campagne politiche, proprio non sembra. È un uomo spregiudicato e senza scrupoli, Enrico Mattei.

Un uomo che ha un progetto preciso.

*Enrico Mattei muove le mani. Parla con passione.*

*«Dare all'Italia la tranquillità per l'avvenire, perché il nostro Paese è diventato un grande Paese industriale e bisogna che lo diventi ancora di piú. Noi pagavamo il carbone il doppio e invece qui c'è il metano, ci sono risorse immense...»*

E un uomo cosí è morto in un banale incidente aereo, perché c'era brutto tempo e il pilota era stanco e depresso?

Può darsi, è plausibile, e le inchieste della commissione Savi e della magistratura di Pavia dicono cosí. Ma può anche darsi di no. A non crederci sono due giornalisti che si chiamano Fulvio Bellini e Alessandro Previdi, che nel '70 scrivono un libro intitolato *L'assassinio di Enrico Mattei*. A non crederci è un regista, Francesco Rosi, che su Mattei gira un bellissimo film, *Il caso Mattei*, in cui avanza molti dubbi sulla sua morte. A non crederci è tanta gente: non Mattei, non un uomo cosí. Ma Mattei non è stato ucciso, Mattei è caduto, assieme al pilota e al giornalista, le inchieste dicono cosí.

Poi, un giorno, tanti anni dopo, succede qualcosa.

È qualcosa che viene da lontano, dall'altra parte dell'Italia. Qualcosa che riguarda un altro caso.

È una notizia che viene da Palermo e che riguarda il caso De Mauro.

*La foto di De Mauro. Il suo naso rotto, tutto storto, la sigaretta tra le dita, col fumo che quasi gli nasconde la faccia, il telefono in mano. Bianco e nero, bianco e nero, da giornalista di cronaca nera.*

Mauro De Mauro era un giornalista dell'«Ora» di Palermo, scomparso il 16 dicembre del 1970, scomparso nel nulla, come succede a chi ha scoperto qualcosa che non doveva scoprire. Cosa avrebbe scoperto, Mauro De Mauro?

Ci sono alcuni pentiti di Cosa Nostra che lo dicono ai magistrati di Caltanissetta il 27 luglio 1993. De Mauro è scomparso perché aveva scoperto qualcosa riguardo al sabotaggio dell'aereo di Enrico Mattei.

Sabotaggio dell'aereo? Ma non era caduto da solo?

È a questo punto che i magistrati di Caltanissetta trasmettono l'informazione a quelli di Pavia e il sostituto procuratore Vincenzo Calia, pubblico ministero presso la procura di Pavia, il 20 settembre 1994 apre un'inchiesta.

Non è un'inchiesta facile.

Molti documenti non ci sono piú. Il maresciallo dei carabinieri che va a cercarli per il magistrato trova i faldoni completamente vuoti. Non sono scomparsi solo i documenti, ma anche i cartellini dei classificatori.

Sono passati quasi piú di trent'anni, ma forse la verità si può scoprire ancora. Il sostituto procuratore Calia è uno di quei magistrati che non si arrendono. Ricomincia da capo e la prima cosa che fa è ordinare una nuova perizia. Ma su cosa, che i pezzi dell'aereo non ci sono piú?

Il sostituto procuratore fa scandagliare il terreno in cui è caduto l'aereo con una sonda elettromagnetica e qualcosa si trova. Ci sono alcuni pezzi che vengono portati agli investigatori dai contadini della zona. Poi ci sono l'orologio che Enrico Mattei portava quel giorno e anche altri effetti personali che la famiglia consegna al magistrato.

E ci sono anche loro, Mattei, Bertuzzi e McHale, ci sono i loro resti, che vengono riesumati per essere analizzati.

La perizia arriva a una serie di conclusioni.

I segni che si trovano sulle parti di metallo dell'aereo, gemminazione meccanica, si chiama, indicano che a bordo del piccolo Morane-Saulnier è esplosa una bomba.

I segni che si trovano sull'anello e sull'orologio di Enrico Mattei indicano che nel piccolo Morane-Saulnier è esplosa una bomba.

I frammenti di metallo appartenenti all'aereo ritrovati nei frammenti di tessuto muscolare dei tre passeggeri indicano che nel piccolo reattore è esplosa una bomba.

La disposizione dei resti dell'aereo e dei suoi passeggeri sul terreno fa pensare che l'aereo non sia esploso a terra ma in aria, e sia esploso per una piccola carica, tra i 30 e i 70 grammi di tritolo, posta sotto l'abitacolo, a 120 centimetri dal pilota, e innescata dal movimento di apertura del carrello, come indicherebbe una ruota dell'aereo rimasta quasi intatta.

Ore 18, 57 minuti e 20 secondi.

L'aereo sta atterrando. Irnerio Bertuzzi abbassa il carrello e la bomba esplode. Il pilota perde il controllo e il Morane-Saulnier si schianta a terra.

Va bene, ma i testimoni?

I testimoni ci sono. Il sostituto procuratore Calia li interroga di nuovo tutti e ne trova tanti che dicono di aver sentito un botto e di aver visto una fiammata, nel cielo. Segno che l'aereo è proprio esploso in volo.

Il sostituto procuratore Calia interroga anche Bruno Ambrosi, il giornalista della Rai che aveva intervistato Mario Ronchi, quello della cascina Arnesano.

*Bruno Ambrosi.*

*Dice: «Ricordo l'intervista cosí, sommariamente. La realizzai in cucina e poi di corsa in sede per poter trasmettere nella prima edizione utile del telegiornale che era quella della notte».*

*Dice: «Ricordo che parlò di un botto, il contadino, cioè di una sorta di esplosione avvenuta in cielo, ma lí per lí non ci facemmo molto caso».*

*Dice: «Qualche anno fa ricevo la comunicazione di andare a deporre. Il magistrato mi fa vedere la registrazione del telegiornale e io ho la sorpresa di vedere che Ronchi muove la bocca ma non si sente il sonoro. La parte sonora era stata sottratta, evidentemente, asportata».*

Il sostituto procuratore Calia utilizza un sordomuto per leggere il labiale.

«Ho sentito un boato e ho visto il fuoco», aveva detto Mario Ronchi.

Il sostituto procuratore Calia fa rilevare che subito dopo la ritrattazione della sua testimonianza la Snam costruisce gratuitamente una strada sul podere dell'agricoltore, gli fornisce l'allacciamento alla corrente elettrica e lo assume come custode del sacrario di Enrico Mattei che sorge sul luogo dell'incidente. Il sostituto procuratore Calia fa anche notare che la figlia dell'agricoltore è stata assunta da una ditta legata al nuovo presidente dell'Eni, Eugenio Cefis.

Qualunque cosa significhi, coincidenza o caso fortuito, il sostituto procuratore Calia incrimina Mario Ronchi per falsa testimonianza e favoreggiamento aggravato, procedimento sospeso in attesa dell'esito del procedimento principale. Quello contro gli ignoti assassini di Irnerio Bertuzzi, William McHale ed Enrico Mattei.

Perché per il sostituto procuratore Calia la cosa è chiara, l'hanno ammazzato, Enrico Mattei, gli hanno messo una bomba sull'aereo e l'hanno abbattuto.

Ma se è vero, se davvero è successo cosí, chi è stato?

*Greta Mattei. Il suo accento tedesco. La sua collana di perle.*

*«Una notte mi sono svegliata e ho visto che lui piangeva. Dico: cosa c'è perché sei cosí irrequieto. Lui dice: è arrivata un'altra minaccia, mi vogliono togliere dalla circolazione».*

Per capirci qualcosa bisogna tornare indietro, a quel 27 ottobre 1962. Anzi, al giorno prima.

Il giorno prima Enrico Mattei è in Sicilia, a Catania. Non è facile ricostruire quei giorni. Il giornalista Mauro De Mauro aveva avuto l'incarico di farlo per conto del regista Francesco Rosi e forse è proprio per questo che è stato rapito e sicuramente ucciso... ma questa è un'altra storia. L'abbiamo già vista.

26 ottobre 1962, Enrico Mattei è in Sicilia, su invito del presidente della Regione D'Angelo. Deve partecipare a un comizio in un paesino in provincia di Catania e a un'importante riunione del consiglio dell'Anic locale. In quei giorni Enrico Mattei incontra tanta gente, parla con tanta gente. È in quel momento che qualcuno gli mette sull'aereo la bomba che lo abbatterà?

Ma su quale aereo?

Sí, perché il pubblico ministero Vincenzo Calia, con le sue ricostruzioni, con le perizie, ha scoperto qualcosa di strano. Quel giorno, all'aeroporto di Catania, il Morane-Saulnier della Snam registra due pieni di carburante in poche ore. Non può aver fatto tanti chilometri in cosí poco tempo, per cui la spiegazione è una sola: ci sono due aerei della Snam.

Il pubblico ministero Vincenzo Calia fa fatica a farlo ammettere ai vertici dell'Eni, anche se alla fine riesce a verificare l'esistenza del secondo aereo, nonostante non riesca a rintracciarlo fisicamente, perché nel frattempo è stato smontato e venduto negli Stati Uniti, con un contratto firmato da Eugenio Cefis.

Ma perché Enrico Mattei ha due aerei?

Per motivi di sicurezza. Ne usava uno come specchietto per le allodole e l'altro per volare, cambiandoli continuamente. Questo, però, significa una cosa sola. Che per conoscere tutto questo, e per sapere qual era l'aereo da sabotare, bisognava essere molto vicini al presidente dell'Eni.

Molto vicini a Enrico Mattei.

Avuta questa informazione, c'è soltanto qualcuno in grado di realizzare questo sabotaggio in Sicilia.

La Mafia.

Ma Cosa Nostra, in questo caso, è soltanto un esecutore, il killer che agisce per conto di un mandante, perché Mattei non dà fastidio alla Mafia, almeno non direttamente.

E allora questo mandante, chi è?

Ci sono alcune piste.

*Enrico Mattei. Guarda in alto, adesso, sempre sulla punta del divano, le mani che si muovono a cerchi.*

*«Nel mese di dicembre fui chiamato a incontrarmi con uno dei Sette Grandi...» Una delle Sette Sorelle, dice uno dei giornalisti che partecipano al dibattito. «Uno dei piú grandi. Hanno un bilancio che è quasi pari a quello dell'Italia. Tiriamo sui prezzi, guadagniamo di piú, mi dice. L'esatto contrario di quello che devo fare io, io devo fare l'interesse dello Stato. Allora gli dico: in Italia, io credo che avete finito di fare una politica vostra, io credo che da adesso in avanti la faremo noi. Poi lo guardai e gli dissi: ho l'impressione che questo discorso lei se lo ricorderà per tutta la vita».*

È un dato di fatto che la politica economica di Enrico Mattei desse molto fastidio alle grandi compagnie petrolifere americane, le cosiddette Sette Sorelle. Mattei, lo abbiamo visto, aveva di fatto rotto il monopolio degli americani trattando direttamente con i Paesi produttori. È la prima cosa che viene in mente quando si parla di attentato.

Ma c'è qualcosa che non torna. Proprio in quel periodo Enrico Mattei stava trovando un accordo con le Sette Sorelle. Dal 1960 gli americani avevano cominciato a pensare che la cosa migliore era coinvolgere Mattei nella politica comune del petrolio. Nel 1962 la Esso e l'Eni si erano messe d'accordo. Il Presidente del Consiglio Amintore Fanfani aveva incontrato il presidente Kennedy per rinnovargli l'amicizia tra l'Italia e gli Stati Uniti.

In questa storia, infatti, non c'è solo questo il petrolio.

*Nico Perrone.*

*Dice: «Si può individuare il contesto internazionale in cui situare la morte di Mattei. C'erano state delle spinte internazionali molto forti, pilotate da Mattei attraverso Gronchi e Fanfani per rendere la posizione dell'Italia nella Nato sempre piú defilata, fino a posizioni di vero neutralismo. Questo accanto agli acquisti di petrolio dall'Unione Sovietica aveva molto allarmato gli Stati Uniti. Mattei muore durante la crisi di Cuba, mentre si stava andando verso la terza guerra mondiale. Forse occorreva una tenuta della Nato assolutamente sicura e gli elementi di disturbo non potevano essere tollerati».*

C'è un rapporto della Cia attribuito a un agente che si chiama Thomas Karamessines. Karamessines è un agente importante, che firma un attentato a Fidel Castro e che si trova in Congo quando viene ucciso il leader indipendentista Patrice Lumumba, in Colombia quando viene ucciso Che Guevara.

In quel rapporto c'è scritto: «Per rendere inoffensivo il signor Mattei è necessario ricorrere alle misure piú estreme».

*Duncan McHale.*

*Dice: «Negli Stati Uniti c'è una legge chiamata Freedom of Information Act. Dà il diritto a tutte le persone di fare domande al governo americano, e se hanno le informazioni sono obbligati a darle. Ho deciso di mandare lettere alla Cia, all'Fbi... e ho fatto due domande. Sapete qualcosa di Mattei? Sapete qualcosa di mio padre? Tutti mi hanno risposto che non avevano niente. Non mi ha sorpreso... Ma non sono sicuro che sia la verità».*

C'è un'altra pista per spiegare la morte di Mattei, sempre nel contesto internazionale.

È quella dell'Oas, l'Organisation Armée Secrète, un gruppo di estremisti francesi formato soprattutto dai generali e dai militari nazionalisti contrari all'indipendenza dell'Algeria. Enrico Mattei era intervenuto nella guerra che porterà alla perdita da parte della Francia della colonia d'Algeria, ed era intervenuto alla sua maniera: finanziando le organizzazioni indipendentiste, in modo da avere poi un riferimento politico amico con cui trattare per il petrolio. Per gli ufficiali dell'Oas Enrico Mattei è il protagonista di una serie di attività antifrancesi in Oriente e in Africa del Nord. Quando il suo aereo cade, è alla vigilia di un viaggio in Algeria dove avrebbe dovuto incontrare Ben Bella, il leader del Fronte di liberazione algerino.

Ma c'è anche un'altra pista.

È quella seguita dalla procura della Repubblica di Pavia.

Ed è una pista tutta italiana.

Enrico Mattei, lo abbiamo visto, finanziava molti partiti politici e molte correnti con i soldi dell'Eni, e quei soldi, tutti quei soldi, erano molto importanti. Enrico Mattei, abbiamo visto anche questo, aveva idee molto precise sulla politica internazionale e sugli interessi dell'Italia.

Il metanodotto che voleva costruire in Algeria, e il metano acquistato dalla Russia, avrebbero portato a dei cambiamenti sia nell'economia – ad esempio il decadimento dell'uso delle petroliere – sia nella politica estera del Paese. Questo non sarebbe piaciuto ad alcuni esponenti politici di una delle correnti della Dc finanziate da Mattei, che avrebbe deciso di spostare i suoi finanziamenti alla corrente di Aldo Moro, favorevole al centrosinistra e piú vicina alle sue idee, aumentandone cosí in maniera decisiva il peso politico. Lo sostengono il fratello del presidente dell'Eni, Italo Mattei, e la figlia Rosangela, e anche i magistrati che si occupano del caso De Mauro, Ugo Saito e Mauro Fratantonio, quando trasmettono gli atti alla procura di Pavia.

Davvero un'inchiesta difficile quella del sostituto procuratore Calia.

*Nico Perrone.*

*Dice: «Non si sono visti avvii alla conclusione di questa inchiesta. C'è stato un risultato importante, che rimane acquisito. Ed è la perizia nella quale si è dimostrata la presenza di esplosivo nei resti di Mattei e degli altri occupanti e nei resti dell'aereo».*

Nonostante tutto il sostituto procuratore Calia va avanti, come vanno avanti, a Palermo, i magistrati che si occupano della scomparsa del giornalista Mauro De Mauro. Anche se è difficile, anche se i misteri diventano sempre piú fitti.

È la teoria dei cerchi concentrici, raccontata con chiarezza da Corrado Guerzoni, uno dei piú stretti collaboratori di Aldo Moro.

«Non è che l'onorevole X dice ai servizi segreti di andare l'indomani mattina a piazza Fontana e mettere una bomba... Al livello piú alto si dice che il Paese va alla deriva, che i comunisti finiranno per avere il potere. Al cerchio successivo si dice: guarda che sono preoccupati. Che cosa possiamo fare? Dobbiamo influire sulla stampa. Cosí si va avanti fino all'ultimo livello, quello che dice ho capito e succede quello che deve succedere. Ognuno non ha mai la responsabilità diretta. Se lei va a dire a questo ipotetico onorevole che lui è la causa di piazza Fontana le risponderà di no. In realtà è avvenuto questo processo, per cerchi concentrici».

Forse è cosí, forse no, forse è peggio. È certo che per la morte di Enrico Mattei vale quello che ha detto Giorgio Galli: «Con la morte di Mattei in Italia lo studioso politico deve cominciare a tenere conto di intrighi e di retroscena da romanzo poliziesco».

In un romanzo poliziesco, in un romanzo di Frederick Forsyth, sapremmo chi è stato e cosa c'è sotto. Nella realtà, nella realtà dei misteri italiani no.

Ce lo chiediamo ancora perché sono morti Enrico Mattei, il capitano Bertuzzi e il giornalista William McHale.

*Enrico Mattei.*

*«Una ventina di anni fa ero un buon cacciatore e andavo a caccia. Avevo due cani, un bracco tedesco e un setter e cominciando all'alba e finendo a sera, su e giú per i canaloni, i cani erano stanchissimi. Ritornando a casa dei contadini, la prima cosa che veniva fatta era dare da mangiare ai cani e gli veniva dato un catino di zuppa, che forse bastava per cinque. Vidi arrivare un gattino grande cosí, magro, affamato, debole. Aveva una gran paura, e si avvicinò piano piano. Guardò ancora i cani, fece un miagolio e appoggiò uno zampino al*

*bordo del catino. Il bracco tedesco gli dette un colpo lanciando il gattino a tre o quattro metri, con la spina dorsale rotta. Questo episodio mi fece una grande impressione. Ecco, noi siamo stati il gattino, per i primi anni...»*

## Roberto Calvi
*Londra, 17 giugno 1982*

Questa è la storia di un piccolo uomo, un uomo riservato, silenzioso e chiuso, un uomo che a incontrarlo cosí sarebbe passato inosservato, e invece è uno degli uomini piú importanti d'Italia, al centro di relazioni e rapporti d'affari con tutto il mondo.

E soprattutto al centro di uno dei piú oscuri Misteri d'Italia.

Questa è la storia di un banchiere, di soldi, tantissimi soldi, di faccendieri, assassini, monsignori, dittatori, mafiosi e politici.

Questa è la storia di Roberto Calvi.

Inizia a Londra, il 17 giugno 1982.

È ancora notte e c'è un uomo che sta camminando, da solo, lungo la strada che costeggia il Tamigi. Sta camminando da sette chilometri in una città che non conosce, forse per un tratto ha preso la metropolitana, ma sono comunque sette chilometri, da solo, e sembra stia cercando qualcosa.

Lungo la strada, proprio vicino al fiume, incontra un cantiere abbandonato, dove si ferma per riempirsi le tasche dei pantaloni e della giacca. Cinque chili di pietre e di mattoni, che infila anche sotto la cintura, dentro i calzoni. Cosí appesantito, l'uomo riprende a camminare, si avvicina a un ponte sul fiume e vede una scaletta di ferro che porta fino all'acqua.

Vuole uccidersi, vuole buttarsi nel fiume? No. Accanto alla scaletta c'è un traliccio.

C'è piú di mezzo metro di distanza ma l'uomo fa un salto e si aggrappa a quello. Con le tasche piene di sassi, cammina per venti metri lungo il traliccio, tenendosi a un palo superiore, fino ad arrivare avanti, nel fiume. Allora lega una corda arancione al traliccio, se la passa attorno al collo e si lascia andare.

Un suicidio.

Ma un suicidio strano. Una scena che non torna, che non tornerebbe, almeno in un romanzo giallo. Ma qui siamo nella realtà, e nella realtà tutto è possibile. Però è strano, i sassi, le acrobazie di quell'uomo quasi anziano, il ponte sul fiume...

E allora torniamo indietro e cerchiamo di capire come siamo arrivati a quella strana scena sul Tamigi, sotto il ponte dei Black Friars, a Londra.

Martedí 15 giugno 1982. Ore 21.00 circa.

L'uomo che abbiamo visto impiccarsi sotto il ponte dei Frati neri è chiuso nell'appartamento numero 881 di un residence a Chelsea, nel centro di Londra. Un appartamento modesto, due stanze, compreso l'angolo cottura, un bagnetto, corridoi stretti. Da dietro il muro si sente anche la radio dei vicini.

L'uomo non è contento di stare lí dentro, si sente come in trappola, accompagnato da un altro uomo, piú giovane, che gli fa quasi da assistente. Non è contento ed è abbattuto, depresso, chiuso dentro quell'appartamento squallido, ad aspettare, girando tra le due stanzette in pantaloni della tuta e canottiera.

E dire che quello è un uomo che non si sarebbe mai fatto vedere cosí da nessuno, forse neanche in famiglia. E tanto meno in ufficio, dai suoi numerosissimi dipendenti, dai funzionari delle sedi centrali, delle filiali, delle holding e delle consociate estere. Chi avrebbe mai immaginato di vedere cosí il presidente del Banco Ambrosiano? Fino a poco tempo prima chi avrebbe mai potuto immaginare di vedere ridotto cosí un uomo come Roberto Calvi?

*Nelle immagini di repertorio c'è un filmato che mostra Roberto Calvi mentre scende lo scalone del Banco Ambrosiano. Porta il cappello e un cappotto stretto, chiuso fino all'ultimo bottone, che gli stringe la sciarpa grigia fasciata attorno al collo, da bravo milanese che sa cosa sono il freddo e la nebbia. L'inquadratura è dall'alto, e Roberto Calvi alza la testa, scoprendo il volto sotto la tesa del cappello. Non sorride sotto i baffi neri, inarca appena un sopracciglio, guarda per un secondo la telecamera, attento, poi abbassa lo sguardo e se ne va.*

Quando entra nel Banco Ambrosiano come impiegato, Roberto Calvi ha 27 anni. È il 1947 e il Banco Ambrosiano è una delle piú importanti banche cattoliche. Sta a Milano, ha un motto: «Offrire credito senza infrangere i princìpî etici del cristianesimo» e per diventarne azionisti ci vuole il certificato di battesimo e anche uno di buona condotta rilasciato dal parroco.

È una banca tranquilla, che non ama i rischi e che non ha tra i suoi funzionari persone particolarmente ambiziose o aggressive.

Roberto Calvi, invece lo è. Non è un cattolico molto osservante, ma ha idee nuove per quanto riguarda finanze e speculazioni (per esempio è il primo a lanciare in Italia un fondo comune di investimento), e rapidamente le fa valere. Il suo obiettivo è quello di lanciare il Banco Ambrosiano nella finanza internazionale. E di diventarne il padrone, assumendone il controllo. Cosí fa comprare al Banco Ambrosiano la Banca del Gottardo, una banca svizzera, e fonda una finanziaria in Lussemburgo, la Banco Ambrosiano Holding.

*Un momento. Dobbiamo inserire un altro personaggio, in questo punto. È un prete, un monsignore, e si chiama Paul Marcinkus.*

*Anche di Paul Marcinkus ci sono molti filmati di repertorio. Mentre segue il Papa nei suoi viaggi, mentre cammina, mentre parla. Ce n'è uno che lo riprende di fronte, i capelli bianchi cortissimi, il naso grosso da pugile, la mascella quadrata. Si lecca rapido le labbra e lancia un'occhiata di lato, poi distoglie lo sguardo, come se avesse visto qualcosa di strano. Con quelle spalle larghe e quel portamento aggressivo, se non portasse il clergyman, la giacca e la camicia nere che scoprono appena un quadratino di colletto bianco, sembrerebbe tutto fuorché un prete.*

Il Banco Ambrosiano diventa anche il principale interlocutore della Banca vaticana, lo Ior, diretta appunto dall'arcivescovo Paul Marcinkus. Con l'arcivescovo, Roberto Calvi fonda la Cisalpine Overseas, nelle Bahamas.

Nel 1971 Roberto Calvi diventa direttore generale del Banco Ambrosiano. Nel 1975 ne diventa presidente.

Un passo avanti. Mercoledí 16 giugno 1982.

È sera e l'uomo è ancora chiuso nell'appartamento numero 881 del residence Chelsea Cloister. Aspetta. Durante il giorno ha incontrato un altro uomo, un uomo importante.

Ha fatto molte telefonate. Ha chiamato anche la moglie, a Washington, e le ha detto che le cose vanno avanti. È questione di poco. Sta per scoppiare una cosa pazzesca. Ma della gente che ha intorno lui non si fida.

Intanto resta nell'appartamento, ad aspettare, assieme all'altro uomo che gli fa da assistente. Per non farsi riconoscere si è anche tagliato i baffi, che portava da sempre.

Tutti quelli che hanno conosciuto o hanno avuto a che fare con Roberto Calvi, in Italia o all'estero, hanno sempre detto che quello che li colpiva di piú era questo carattere di assoluta discrezione. Una specie di muro invalicabile che metteva tra sé e gli altri, una specie di incomunicabilità. Diceva che quando «due persone conoscono un segreto, questo non è piú un segreto». Di tutto quello che faceva, degli affari del Banco Ambrosiano, di qualunque cosa, l'unico a sapere tutto fino in fondo era lui. E aveva ragione, perché molti degli affari del Banco Ambrosiano e delle sue consociate, in quegli anni, sono una cosa da tenere segreta.

E infatti molti degli affari della banca milanese sono schermati da società ombra collocate nei paradisi fiscali, la maggior parte a Panama. Attraverso questa galassia di società estere i soldi raccolti dal Banco Ambrosiano passano a banche e finanziarie fantasma e cosí i soldi scompaiono. Poi le varie società di Roberto Calvi si comprano e si rivendono le azioni, facendo salire il prezzo e coprendo l'una i buchi dell'altra. È una truffa, naturalmente, una truffa che rende.

Ma c'è ancora un altro personaggio che dobbiamo introdurre a questo punto. Si chiama Umberto Ortolani, è un finanziere romano legato al Vaticano e che entra in affari con Roberto Calvi.

*Nel filmato di repertorio l'avvocato Umberto Ortolani ha il microfono della televisione appuntato sopra il fermacravatta d'oro. Sta seduto sotto un bel quadro antico che appena sopra la cornice raffigura tre visi di angioletti che sembrano guardarlo. Uno, però, tiene gli occhi sollevati al cielo, non si sa perché.*

*«Io sono un uomo il quale si interessa di problemi finanziari, non so toccare una cosa meccanica. Poi ho un patrimonio di conoscenze di carattere non solo italiano ma mondiale. Mi ero creato prima una banchetta, lo avevo fatto per il lavoro dei miei figli, soprattutto, una banca onorata, rispettata, che aveva raggiunto il secondo posto nel Paese, in Uruguay, poi si era allargata al Brasile, all'Argentina...»*

Molti soldi del Banco Ambrosiano vanno in Sudamerica e in parte vanno a finanziare le attività delle dittature. È Michele Sindona, uno che di certe cose se ne intende, a spiegarne la convenienza.

«Fare affari con un dittatore è molto piú facile che farli con governi eletti democraticamente, che hanno troppi comitati, troppi controlli. Inoltre aspirano all'onestà, che è un guaio negli affari di banca».

Roberto Calvi conosce Michele Sindona nel 1968 e presto diventano soci in affari.

Sono due personaggi all'opposto, lui un settentrionale cupo e silenzioso, l'altro un siciliano brillante ed espansivo, ma sono tutti e due la stessa cosa: due geni della finanza senza scrupoli, dei giochi di prestigio fatti con i soldi, dello sfruttamento delle informazioni, del potere e delle protezioni.

Nel 1975 Michele Sindona presenta Roberto Calvi a un signore che fa parte di una loggia massonica, molto potente e molto segreta, due cose che per il carattere di Calvi, lo abbiamo visto, rappresentano una grande attrazione. Quella persona si chiama Licio Gelli e la sua loggia segreta è la P2.

La Loggia Propaganda 2 è una «scorciatoia per il potere», un gruppo di persone che si scambiano segretamente favori e protezioni, ma dal momento che quelle sono persone importanti, che stanno nei posti giusti, ecco che il gruppo diventa una specie di Stato nello Stato, e questo è molto pericoloso. Nella P2 ci sono ministri e sottosegretari, militari, poliziotti, finanzieri, carabinieri e uomini dei servizi segreti, imprenditori e giornalisti.

Ha un vertice, la P2, come una specie di governo, formato da Licio Gelli e Umberto Ortolani e anche un programma politico, che si chiama «Piano di Rinascita Democratica» e che comprende punti specifici come riformare lo Stato in senso presidenziale, portare il Consiglio superiore della magistratura sotto il controllo dell'esecutivo, separare le carriere dei magistrati, acquisire il controllo della stampa, eliminare il monopolio della Rai, e tanti altri.

*Licio Gelli è circondato da intervistatori che gli mettono i microfoni sotto il naso. È contento, il Gran Maestro, è allegro, e risponde ridendo.*

*«Vede, c'è una maledizione sulla Loggia massonica P2: arriva a tutti».*

*Stupendo, commenta un giornalista, un altro chiede: «Vuol dire che ha molte diramazioni?» Gelli si stringe nelle spalle e sorride.*

*«Arriva a tutti, vede», ripete.*

*«Chi manca?» chiede un giornalista.*

*«Eh, ne mancano ancora... ce ne sono».*

In cambio di protezione, Roberto Calvi diventa un uomo della P2. Loro mettono le conoscenze, le pressioni e i ricatti e lui mette i soldi, come per le operazioni in Sudamerica, a favore dei generali amici di Gelli e di Ortolani. E non solo.

Gelli lo aveva detto chiaramente: «Il vero potere risiede nelle mani dei detentori dei mass media». È cosí che attraverso il Banco Ambrosiano di Calvi la P2 dà la scalata al gruppo Rizzoli e con quello anche al principale quotidiano italiano, il «Corriere della Sera».

Facciamo un passo avanti.

Chissà se in quelle due stanze dell'appartamento di Chelsea, nascosto in attesa che succeda qualcosa, quell'uomo si è sentito solo. Solo senza la famiglia, che ha spedito negli Stati Uniti e in Svizzera, per sicurezza, e solo senza nessuno di cui fidarsi. Tanto amato, non lo era stato neanche quando era un banchiere potente. Mai accettato dalla grande finanza milanese, che lo definiva «un miscuglio sospetto di ambizioni e reticenza» che non si divertiva mai, che lavorava e basta, e poi si chiudeva in famiglia. Che amava particolarmente e con la quale era un altro uomo, molto presente e molto affettuoso.

Gianni Agnelli, quando era presidente della Confindustria, incontrò Roberto Calvi a un pranzo mondano intervallato da lunghi silenzi, e alla fine disse: «Ma come si fa a passare una vita guardandosi la punta delle scarpe?»

Timido e insicuro nei rapporti umani ma deciso negli affari, abbastanza da costruire un impero attorno a una banca. E allora perché un uomo del genere lo ritroviamo in quelle due stanzette di Chelsea, da solo, ad aspettare?

La prima crisi dell'impero di Roberto Calvi è del 1977.

All'alba del 13 novembre tutta Milano si sveglia tappezzata di manifesti azzurri e gialli che parlano delle operazioni irregolari del Banco Ambrosiano. Li ha fatti mettere Michele Sindona, per vendetta, perché ha chiesto a Calvi i soldi per tappare i buchi delle sue banche e se li è visti rifiutare. Calvi vola a New York e fa la pace con Sindona, ma i guai non finiscono.

Il 17 aprile del 1978 dodici ispettori della Banca d'Italia entrano nella sede dell'Ambrosiano. Ci restano sette mesi e rilevano una serie enorme di irregolarità, che registrano in un rapporto di 500 pagine e passano a un magistrato, Emilio Alessandrini.

Ma il giudice Alessandrini non fa quasi in tempo a esaminarlo.

Il 29 gennaio 1979, quando ha appena accompagnato il figlio a scuola, la Renault del magistrato viene fermata da un gruppo di fuoco di Prima Linea, un gruppo terroristico di estrema sinistra, e Alessandrini viene ucciso. Il fascicolo passa nelle mani di un altro magistrato, che deve ripartire da zero.

Va poco meglio ai vertici della Banca d'Italia che hanno inviato l'ispezione al Banco Ambrosiano.

Il 24 marzo 1979 il governatore Paolo Baffi e il capo dell'Ufficio vigilanza Mario Sarcinelli vengono arrestati per ordine dei magistrati Luciano Infelisi e Antonio Alibrandi.

Le accuse di aver nascosto alcune prove relative a un altro scandalo finanziario si riveleranno presto completamente infondate, assurde addirittura per due uomini dell'integrità di Baffi e Sarcinelli. Un clamoroso errore giudiziario che si cancellerà soltanto nel 1983, quando Baffi e Sarcinelli saranno completamente prosciolti. Ma che per il momento li tiene fuori dal gioco.

La prima bufera è superata, ma l'impero di Calvi ne incontra altre. Una prima crisi di liquidità, che Roberto Calvi supera grazie a 140 milioni di dollari che arrivano dall'Eni e dalla Banca nazionale del lavoro, grazie anche agli amici della P2 che si trovano nei consigli di amministrazione.

Una seconda crisi di liquidità nel 1980, risolta ancora grazie a un finanziamento dell'Eni di 50 milioni di dollari. Per quel favore c'è una tangente da pagare, sette milioni di dollari su un conto che si chiama «Protezione», di cui è titolare Silvano Larini per conto degli esponenti del Psi Claudio Martelli e Bettino Craxi. Neanche della protezione degli altri politici si può fare a meno e Roberto Calvi lo sa perché fa piovere 80 miliardi, miliardi degli anni Settanta, su quasi tutti i partiti italiani.

Ma non basta. Ci sono nuove leggi che controllano i movimenti finanziari, soprattutto con l'estero, e ci sono due persone che vogliono vederci chiaro.

Uno si chiama Beniamino Andreatta, ed è ministro del Tesoro. Beniamino Andreatta è una brava persona, una persona perbene, molto indipendente.

Alla presidenza della Consob, l'organismo di controllo della Borsa, il ministro Andreatta nomina un'altra persona che vuole vederci chiaro, e che si chiama Guido Rossi. Il Banco Ambrosiano è una delle maggiori banche del Paese e non è ancora quotato in Borsa, cosí Rossi chiede a Calvi di farlo, ma questo comporterebbe altri controlli, che a Calvi fanno paura.

Il 4 luglio 1980, Roberto Calvi riceve il primo colpo.

Il magistrato che ha sostituito il giudice Alessandrini arriva alle stesse conclusioni della Banca d'Italia e intanto gli fa ritirare il passaporto. Calvi è protetto, ha la P2 dalla sua parte, ha Licio Gelli che trama per lui, ma a questo punto arriva il secondo colpo.

C'è un uomo che si chiama Joseph Miceli Crimi, pesantemente coinvolto nel caso Sindona. C'è un particolare che interessa i magistrati: mentre aiutava Sindona a fuggire, Miceli Crimi si è fermato ad Arezzo. Perché? Perché è andato dal dentista, dice Miceli Crimi, ma nessuno gli crede. Perché doveva incontrare un altro massone e chiedergli consiglio. Quale massone? Licio Gelli.

I magistrati milanesi Giuliano Turone e Gherardo Colombo corrono ad Arezzo e fanno perquisire la villa di Gelli e la fabbrica che possiede.

Negli uffici di questa trovano una valigia di pelle marrone. Dentro ci sono i documenti della P2, con un elenco di 962 nomi, tutti molto importanti.

La scorciatoia per il potere. Lo Stato nello Stato.

Scoppia lo scandalo P2, Licio Gelli scappa all'estero, e Roberto Calvi si ritrova scoperto.

*Lo speaker del Tg2 di Milano legge la notizia su una serie di primi piani di Calvi, scelti apposta, probabilmente perché lo vedono tutti molto crucciato.*

*«Roberto Calvi è stato arrestato alle sette di questa mattina, a casa sua, a Milano, ora si trova nel carcere di Lodi».*

Il 20 maggio 1981 Roberto Calvi viene arrestato per reati valutari. Nove giorni dopo si apre il processo e poco dopo Calvi tenta il suicidio. Non è un vero tentativo, sembra piú un segnale, come un altro avvertimento mandato a monsignor Marcinkus attraverso un bigliettino: «Questo processo si chiama Ior».

*L'avvocato Alessandro Gamberini è il legale della famiglia Calvi. Lo intervistiamo noi.*

*Dice: «È pacifico che vi fossero rapporti molto stretti tra monsignor Marcinkus, che all'epoca era il* dominus *della finanza vaticana dello Ior e il Banco Ambrosiano di Roberto Calvi. Intrecci che hanno un riferimento in una serie di società estere che costituiscono lo sfondo e il protagonismo fi-*

*nanziario di una serie di operazioni che vengono fatte per finanziare lo Ior e per finanziare attraverso il Banco Ambrosiano una serie di movimenti che nei Paesi dell'Est sono i protagonisti di quell'opposizione politica che poi otterrà i suoi effetti col crollo del regime del 1989. Questo determina una sorta di opacità che è presente in tutti i processi. Cioè un'opacità nel senso che il Vaticano ha ovviamente ostacolato fortemente la possibilità di chiarire tutti i meccanismi che stavano alla base di questo intreccio».*

Poco dopo anche Calvi riceve un messaggio: «Non parlare piú, altrimenti faranno in modo di farti restare in prigione tutta la vita».

Il 20 luglio il tribunale di Milano condanna Calvi a quattro anni di carcere e 15 miliardi di multa. Calvi ricorre in appello, esce in libertà provvisoria e il 28 luglio torna al suo posto al Banco Ambrosiano.

Alla disperata ricerca di soldi, aiuti e protezioni, Roberto Calvi trova due nuovi alleati. Uno si chiama Francesco Pazienza, ed è un uomo d'affari legato alla Cia e ai servizi segreti italiani, che lo ha aiutato quando si trovava in prigione. Pazienza porta Calvi e famiglia in vacanza in Sardegna e lí gli fa conoscere un altro finanziere, Flavio Carboni.

Flavio Carboni è un ex imprenditore discografico sardo, poi improvvisatosi imprenditore edile, i cui affari l'hanno messo in contatto col mondo della politica, ma anche con quello dell'usura e della vera e propria criminalità organizzata. Carboni presenta a Calvi molta gente, molti finanzieri, intermediari con uomini politici, anche un sottosegretario al ministero del Tesoro. Ma Carboni, lo abbiamo visto, è anche in affari con gente strana, molto inquietante. Gente come Pippo Calò, detto «il cassiere della Mafia», a sua volta in contatto con elementi della banda della Magliana, la criminalità organizzata romana.

Nella sua disperata ricerca di appoggi e protezioni, Roberto Calvi finanzia con i soldi del Banco Ambrosiano alcune attività di Cosa Nostra e altre, come la Prato Verde, che – stando agli atti processuali – si ipotizza non potessero sfuggire al controllo della banda della Magliana.

La situazione di Calvi, però, resta disperata. La Banca d'Italia chiede provvedimenti, alcuni deputati chiedono chiarezza e non basta che il 6 giugno 1982 Giuseppe Pisanu, il sottosegretario al ministero del Tesoro che conosce Carboni, dichiari in Parlamento che è tutto sotto controllo.

Calvi ha paura. Manda via la moglie, a Washington, manda la figlia in Svizzera e comincia a uscire con una pistola nella borsa. Ha ragione ad avere paura. La gente con cui si è messo non è bella gente.

Per esempio, dopo che il direttore generale del Banco Ambrosiano, Roberto Rosone, esprime perplessità su alcuni prestiti senza garanzie a società legate a Carboni, Danilo Abbruciati, uno dei boss della banda della Magliana, lo aspetta fuori dalla banca e gli spara, ferendolo soltanto, perché una guardia giurata reagisce uccidendo Abbruciati.

L'unico che potrebbe salvare Roberto Calvi e il suo impero finanziario è lo Ior, la Banca vaticana. Calvi tenta di tutto, incontra monsignor Marcinkus ma non c'è niente da fare.

Lo Ior si tira indietro. Anzi, chiede la restituzione di 300 milioni di dollari.

*L'avvocato Gamberini.*

*Dice: «Lo Ior era appeso in qualche modo agli itinerari fi-*

*nanziari del Banco Ambrosiano come il Banco Ambrosiano aveva relazioni privilegiate con lo Ior. Questo ha fatto sí che quando avviene questo momento di crisi questa crisi esplodesse anche in Vaticano. Cosa avviene? Avviene un fenomeno usuale e comprensibile, lo Ior e il Vaticano vogliono togliere le mani da questo insieme un po' fangoso che fa da sfondo alla vicenda».*

La situazione è gravissima. Non c'è piú tempo.

Roberto Calvi deve assolutamente fare qualcosa.

Dopo una notte insonne, si incontra con Carboni e con il segretario di questi. Non c'è piú tempo. Non si può piú aspettare. Bisogna escogitare un piano per risolvere la situazione.

L'11 giugno 1982 l'autista di Calvi va a prenderlo a casa, come ogni mattina, ma non lo trova. Il letto è ancora in ordine, ma Calvi non c'è.

*Lo speaker del Tg2 questa volta è Mario Pastore. Parla senza leggere i fogli, con la fotografia di Calvi alle spalle.*

*«Roberto Calvi, presidente del Banco Ambrosiano, non si sa dove sia, forse è scappato, forse è fuggito, di lui non si hanno notizie da due giorni».*

Non è neppure all'appuntamento con il banchiere dello Ior, Luigi Mennini. Dov'è?

È in volo per Trieste. Ha avvertito i suoi avvocati e anche il Banco Ambrosiano, ha detto che sta andando a concludere affari per salvare la situazione.

A Trieste, Calvi e il segretario di Carboni incontrano un contrabbandiere che si chiama Silvano Vittor, che di solito trasporta jeans e caffè ma che questa volta porterà via un uomo. A casa di Silvano Vittor, Roberto Calvi e il segretario di Carboni aspettano che arrivino otto milioni in contanti per pagare il contrabbandiere. E un passaporto.

Per andare dove? Prima in Jugoslavia, su un motoscafo, poi in Austria, in macchina. Qui Roberto Calvi passa la notte a Klagenfurt. Dorme in una villa che appartiene al padre della fidanzata di Vittor. Lí, nella villa, viene raggiunto anche da Flavio Carboni e da Manuela, la sua fidanzata. Assieme chiamano il Vaticano, per cercare di far rientrare quella richiesta di 300 milioni di dollari, ma la telefonata non serve a nulla.

Calvi scoppia a piangere. Poi si rianima. E minaccia: «Manderò in rovina il Vaticano, i partiti, i segretari dei partiti».

Prima di fare altro, Calvi brucia alcuni documenti. Dopo riparte assieme a Vittor, per Innsbruck. L'idea, per ora, è ancora quella di andare a Zurigo.

Ma a Innsbruck Calvi cambia idea.

Non vuole piú andare a Zurigo, ma a Londra. Perché? È stato Carboni a fargli cambiare idea? Oppure Calvi ha pensato che essendo presidente di una banca svizzera a Zurigo non sarebbe stato al sicuro da un arresto?

Cosí il giorno dopo Calvi riparte con Vittor. Alle 16.30 decollano con un bimotore Cessna. Calvi è cosí abbattuto e dimesso, che il pilota dell'aereo scambia Vittor per la persona importante da portare via.

Alle 18.10 sono all'aeroporto di Gatwick.

Alle nove di sera Roberto Calvi scrive il nome Calvini sul registro del Chelsea Cloister. Appartamento 881, due stanze con cucina, piú bagno.

In Italia, intanto, la situazione precipita. I titoli legati all'Ambrosiano crollano. «Il Sole 24 ore» pubblica la lettera con cui la Banca d'Italia intima al Banco Ambrosiano di regolare i suoi conti. Il consiglio di amministrazione decide l'autoscioglimento e chiede che la Banca d'Italia nomini un commissario.

*Lo speaker del telegiornale, qui, è tutto fuori campo.*
*«Giornata drammatica quella di oggi per il Banco Ambrosiano, con un tragico epilogo. Poco dopo la conclusione del consiglio di amministrazione che sollecitava come ormai da piú parti si richiedeva il commissariamento dell'istituto finanziario da parte della Banca d'Italia, nella sede centrale del Banco Ambrosiano si è suicidata Graziella Corrocher, di 53 anni, segretaria particolare da piú di 15 anni del presidente del Banco Ambrosiano Roberto Calvi».*

Graziella Corrocher, la segretaria personale di Calvi, che aveva dedicato tutta la sua vita alla banca, si getta dalla finestra lasciando un biglietto in cui parla del banchiere.
«Che vergogna fuggire cosí. Che sia maledetto mille volte per il danno causato alla banca».
17 giugno 1982.
Roberto Calvi chiama la figlia al telefono. Che lasci la Svizzera, che si allontani, che vada anche lei in America, a raggiungere la madre.
Calvi chiama anche Flavio Carboni, perché ha bisogno di vederlo. Ma quando scende al bar del residence non lo trova. Ci sono le due ragazze, la fidanzata di Vittor e Manu, la ragazza di Carboni. Carboni le ha «parcheggiate» al bar, userà proprio questa parola, e si è allontanato. Calvi non lo incontra, aspetta un po' e si allontana anche lui, perché ha qualcosa da fare.
Alle 22.45 dall'appartamento 881 verrà registrata una telefonata in uscita, ma non si saprà mai chi l'ha fatta.
Chi è stato? Roberto Calvi? Forse. O forse no.
Perché piú tardi, quando è quasi notte, arriva anche Vit-

tor, al residence. Ha dimenticato le chiavi, cosí chiede al custode di aprirgli la porta dell'appartamento 881. Ma dentro, Calvi non c'è, c'è la televisione accesa, ma l'appartamento è vuoto. Strani movimenti, coincidenze che verranno considerate per lo meno sospette.

La mattina dopo un fattorino della Daily Express sta andando al lavoro. Passa sempre accanto al ponte dei Frati neri ma quella volta, quando ci lancia un'occhiata, c'è qualcosa di diverso. C'è una testa che sporge tra i pali di un traliccio.

Si affaccia e vede che c'è un uomo appeso a una corda arancione.

Il primo processo sulla morte di Roberto Calvi si svolge a Londra il 23 luglio 1982.

Dura un giorno solo. Sulla base della perizia del primo medico che ha visto Calvi, il dottor Simpson, la Corte conclude che si tratta di suicidio. Sei mesi dopo, però, la sentenza viene annullata dall'Alta Corte di Giustizia per «vizi formali e sostanziali» e il giudice della prima sentenza viene addirittura condannato per irregolarità.

Il secondo processo si conclude il 27 giugno 1983, con un *open virdict*, un verdetto aperto per cui non si può stabilire se si tratti di suicidio o di omicidio.

Un altro processo si tiene a Milano e si concluderà l'1 dicembre 1988. È una causa civile che stabilisce che Roberto Calvi è stato ucciso e impone all'assicurazione di pagare alla famiglia del banchiere un risarcimento di 3 milioni di dollari.

Ma allora, Roberto Calvi si è ucciso o è stato ucciso?

Non è una domanda da poco perché c'è un terzo processo, che si tiene presso il tribunale di Roma, a carico di Flavio Carboni e Pippo Calò, il «cassiere della Mafia», accusati di essere i mandanti della morte di Roberto Calvi. Ha come punto centrale proprio questa domanda.

*L'avvocato Gamberini.*

*Dice: «Roberto Calvi è stato ucciso. Di questo è convinta la famiglia che tutelo nel processo, sono convinto anch'io come avvocato per le carte che ho potuto vedere. Quella che fu fatta sotto il ponte dei Frati neri fu una messa in scena».*

*L'avvocato Renato Borzone è invece il legale di Flavio Carboni.*

*Dice: «Diverse considerazioni di carattere logico e anche di carattere medico legale inducono a ritenere a mio parere che ci si trovi di fronte a un suicidio. Quelle di carattere logico sono anzitutto l'assenza di un movente convincente. Quelle di carattere medico legale sono molto complesse ma si possono riassumere cosí: non c'è, io credo, alcun segno di violenza sul corpo, la ricostruzione da parte dell'accusa di come sarebbe avvenuto l'omicidio non è convincente, numerosi elementi inducono a ritenere che l'orario della morte sia successivo a quello che è stato indicato dagli inquirenti, il che comporta una serie di conseguenze sui possibili movimenti di Roberto Calvi quella sera».*

Prima ipotesi.

Roberto Calvi è stato ucciso. Non è uscito da solo dall'appartamento di Chelsea per andare fino a quel ponte. È arrivato qualcuno a prelevarlo, quella notte, e lo ha portato lí con qualche scusa. Va bene, e poi?

Roberto Calvi viene narcotizzato, con un batuffolo di cloroformio, per esempio, o con un'iniezione di un farmaco che poi si dissolve, senza lasciare traccia. Viene adagiato su una barca, e infatti i suoi pantaloni presentano tracce umide di fango. Con quella risale il fiume assieme ai suoi assassini. Poi gli passano il cappio attorno al collo. E lo uccidono, sollevandolo e appendendolo alla trave in mezzo al fiume. Un omicidio, allora, dalla dinamica chiara anche se piuttosto complessa.

Seconda ipotesi.

Roberto Calvi si è suicidato. È andato da solo fino al ponte dei Frati neri ed è salito fino al traliccio.

*Il professor Fabrizio Iecher è un medico legale, ed è consulente tecnico del tribunale di Roma. Ha rifatto la perizia sulla morte di Roberto Calvi.*

*Dice: «Io sono andato sul ponte intorno a mezzanotte e mezza. La marea era alta e sarebbe stata un'impresa ardua scendere lungo quella scaletta dal punto di vista della minaccia delle acque che in quel momento erano piuttosto vorticose. In aggiunta a un passaggio acrobatico che avrebbe dovuto fare Roberto Calvi dalla scala al traliccio, saltando con cinque mattoni addosso, di cui uno sul pube, in uno spazio tra i sessanta e gli ottanta centimetri. Chinarsi ed estendersi in continuazione per passare da un tubo all'altro del traliccio. Preparare il cappio, ammesso che abbia trovato sul posto la corda e non se la sia portata dietro. E poi la viscidità, la scivolosità dei punti di presa e di appoggio. Tutto questo rende a mio avviso molto debole la tesi di un suicidio per impiccagione, fatto in questa maniera, per un uomo che pesava 82 chili e aveva oltre sessant'anni d'età, per una serie di posizioni che dire acrobatiche è dire poco».*

E poi, secondo i periti dell'accusa, Roberto Calvi si sarebbe immerso nell'acqua e quindi, se avesse voluto suicidarsi non avrebbe avuto la spinta sufficiente a impiccarsi.

*Il professor Iecher, davanti a un grafico che stilizza la posizione del corpo di Calvi e i vari livelli dell'acqua del fiume, evidenziati in verde, in rosso e in arancione.*

*Dice: «Si vede chiaramente come il punto di minimo livello delle acque del Tamigi venga raggiunto alle ore 5 e 24. Si vede pure come il livello massimo si è raggiunto alle ore 23. Se noi osserviamo il disegno ci accorgiamo come nell'ipotesi che la morte sia avvenuta tra le ore 1.00 e le ore 2.00, il corpo in questo orario rimane sommerso dalle acqua del Tamigi piú o meno al livello delle ascelle, per poi gradatamente rimanere sospeso, ma non immerso totalmente. E alle 8.00 quando viene rinvenuto, ha soltanto le caviglie coperte dalle acque del Tamigi. Questo spiega come mai si vedano, nelle foto scattate dalla polizia, la parte bassa dei pantaloni zuppa d'acqua, mentre la parte superiore è definita dagli inquirenti* wet, *umida. E ricordo, che all'interno del portafoglio vengono ritrovati dei documenti intrisi d'acqua».*

Secondo i periti della difesa di Flavio Carboni il comportamento di un suicida è sempre un po' irrazionale. Inoltre Roberto Calvi potrebbe aver voluto simulare un omicidio per l'assicurazione. Va bene, ma come ha fatto?

*L'avvocato Borzone.*

*Dice: «Il presupposto di quella ricostruzione non compatibile con l'ipotesi del suicidio è che la morte di Roberto Calvi sia avvenuta alle 2.00 di notte, quando la marea era alta. È viceversa possibile spostare la morte in ore piú avanzate del mattino, orari nei quali la marea del Tamigi è assai piú bassa».*

Per i periti della difesa a partire dalle condizioni di umidità dei vestiti di Roberto Calvi l'ora della sua morte potrebbe essere spostata di qualche ora. Ma l'orario non è l'unico mistero di questo caso. C'è anche quello del movente di un possibile omicidio.

C'è un uomo di Cosa Nostra, un collaboratore di giustizia che si chiama Francesco Marino Mannoia, che ne parla. Secondo lui a uccidere Calvi è stato Francesco Di Carlo, uomo della Mafia a Londra, su mandato di Pippo Calò.

*L'avvocato Gamberini.*

*Dice: «Le ragioni della morte di Roberto Calvi sono difficili da ricostruire. C'è un'ipotesi accusatoria che hanno fatto i pubblici ministeri nel processo e consiste nel ritenere che quelli che sono gli esecutori materiali dell'omicidio, alcuni mafiosi, uccidano Calvi perché Calvi, come banchiere, non restituisce loro dei denari che alla banca e a lui sono stati dati».*

*L'avvocato Borzone.*

*Dice: «Non mi pare che questa ricostruzione sia logica e sia provata. Non è logica perché secondo una vecchia regola uccidere il proprio debitore non è mai pagante. Non è provata perché questi investimenti di denaro della Mafia nel Banco Ambrosiano, nonché le mancate restituzioni di questi denari da parte di Roberto Calvi, non sono accertate».*

Non si uccide la gallina dalle uova d'oro e Calvi, almeno per il momento, era ancora quello per Flavio Carboni e anche per la Mafia che avrebbe investito i suoi soldi. Però… c'è una frase di Roberto Calvi che fa pensare. La dice ai magistrati, quando viene arrestato.

«Il Banco Ambrosiano non è mio. Io sono soltanto al servizio di qualcun altro. Di piú non posso dirvi».

*L'avvocato Gamberini.*

*Dice: «Ed è quello che ci fa pensare che lo sfondo sia diverso, e che piuttosto questi mafiosi siano gli esecutori, la mano armata di altri interessi».*

E poi c'è una borsa, una borsa a soffietto di pesante cuoio nero da cui Roberto Calvi, negli ultimi dodici mesi, non si è separato mai. E che si è portato dietro dall'Italia, fino a Klagenfurt e fino a Londra.

Cosa c'era nella borsa di Roberto Calvi? Secondo i suoi familiari c'erano i documenti piú importanti del Banco Ambrosiano, che dovevano servire a Roberto Calvi a procurarsi aiuti e impunità.

Quella borsa viene ritrovata, entra in possesso del senatore del Msi Giorgio Pisanò e viene consegnata a Enzo Biagi, che la apre in televisione, in diretta.

*Avrebbe potuto essere uno degli scoop piú grandi mai fatti da Enzo Biagi, che pure ne ha fatti molti. A* Tg1 Spot *dell'1 aprile del 1986. Biagi, tirando fuori il contenuto: «Questa è una borsa piena di chiavi... non ce ne sono tante neanche in un convento, credo. Questa è un'agenda, ci sono le lettere ma non ci sono i nomi. Gli indirizzi sono spariti. Si vede che c'è stato un attento lettore prima di me. Questa è la patente, Calvi Roberto... questa è una fotografia della signora con i due figli, immagino, bambini...»*

*Nient'altro. Niente scoop, neppure per Biagi.*

Altro mistero. Perché Calvi è andato a Londra assieme a Flavio Carboni?

*L'avvocato Borzone.*

*Dice: «Ovviamente per una persona che cerchi appoggi finanziari la piazza alternativa a quella Svizzera in Europa non può che essere Londra. L'ipotesi accusatoria che Calvi sarebbe stato nelle mani di Carboni è assurda. Semmai è il contrario, è Calvi che chiede a Carboni di aiutarlo in questo cambiamento di programma e di meta che inizialmente aveva previsto».*

*L'avvocato Gamberini.*

*Dice: «Roberto Calvi viene trascinato a Londra in maniera evidente. Quando si analizzano i documenti di questo processo e le testimonianze si scopre che il passaggio dalla Svizzera a Londra è un passaggio guidato, accompagnato. Viene guidato a Londra perché nel contesto londinese questi mafiosi hanno rapporti, hanno radici, hanno protezioni, e quindi, evidentemente è un luogo dove si può realizzare l'omicidio. È un omicidio non indagato, perché questo è l'omicidio di Roberto Calvi, un omicidio in cui non si svolgono indagini di apprezzabile serietà da parte della polizia londinese».*

Sembra davvero un romanzo, questa storia, piena di personaggi incredibili, come solo la realtà sa offrirci. Personaggi incredibili, geniali, oscuri o inquietanti. Alcuni di questi escono di scena.

Il 16 aprile 1992, alla fine del processo per il crack del banco Ambrosiano la Corte d'assise di Milano condanna Umberto Ortolani, Licio Gelli e Flavio Carboni. La Corte d'appello confermerà le condanne riducendo le pene: 12 anni a Ortolani, 12 a Gelli, 8 anni e 6 mesi a Carboni.

Il processo per la morte di Roberto Calvi, quello a carico di Flavio Carboni e di Pippo Calò è stato sospeso, in attesa dei risultati della perizia ordinata dal tribunale di Roma sulle cause della morte di Roberto Calvi, perché la loro posizione cambierebbe se si trattasse di suicidio piuttosto che di omicidio.

Roberto Calvi, lo sappiamo, è morto.

Ma se ci sia andato da solo a finire sotto il ponte dei Frati neri, o ce l'abbia portato qualcuno, questo, per adesso, ancora non si sa.

## Antonio Ammaturo
*Napoli, 15 luglio 1982*

Questa storia è un film, sarebbe un film, un film poliziesco degli anni Settanta come *Io ho paura* di Damiano Damiani, o un romanzo di Attilio Veraldi come *La mazzetta*, se non fosse una storia vera.

Sembra un film perché è una storia piena di misteri, di colpi di scena e di omicidi, una storia che alla fine rivela retroscena e soluzioni che se non fossero veri, veramente accaduti, sarebbero incredibili. Soprattutto, però, è la storia di un uomo, un uomo dello Stato. Un uomo vero.

Un poliziotto.

Ecco, la nostra storia inizia cosí, come un film poliziesco.

C'è un poliziotto che sa qualcosa, qualcosa di importante.

Siamo a Napoli, qualche giorno prima del 15 luglio 1982.

Il nostro poliziotto è al telefono, e sta parlando con il fratello. Gli dice che ha scoperto qualcosa, qualcosa di enorme. Gliene aveva già accennato in precedenza, ne aveva parlato anche alla moglie e alla sorella.

Sto facendo un'indagine grossa, quando salterà fuori a Napoli ci sarà «un'eclisse».

Il poliziotto dice al fratello che ha scritto tutto in un rapporto e ne ha fatto due copie. Una l'ha mandata al ministero degli Interni, l'altra l'ha spedita proprio a lui, al fratello, per posta, dovrebbe averla già ricevuta.

No, dice il fratello, non ho ricevuto niente.

Strano, dice il poliziotto. Adesso controllo che sia stato spedito. Però è strano. Strano.

Cosa c'è in quel rapporto? Cos'ha scoperto quel poliziotto di cosí tremendo e importante? Non lo sappiamo, almeno per adesso. Mettiamo da parte il poliziotto e il suo segreto e passiamo a un altro capitolo.

Altri personaggi.

Ricordiamoci la data: qualche giorno prima del 15 luglio 1982. Siamo verso la fine di quelli che verranno ricordati come «gli anni di piombo», gli anni del terrorismo.

I personaggi che stiamo seguendo adesso, infatti, sono terroristi. Si chiamano Assunta Griso e Vincenzo Stoccoro e appartengono alla colonna napoletana delle Brigate rosse.

Cosa fanno Assunta Griso e Vincenzo Stoccoro?

Spiano, sorvegliano un poliziotto che si chiama Antonio Ammaturo e che potrebbe essere il loro prossimo obiettivo. Hanno già fatto qualche passo in questo senso. Qualche mese prima alcuni di loro hanno rapinato un'auto. Si sono fatti dare un passaggio da un signore che si trovava in macchina dalle parti di via Tasso, poi all'improvviso hanno tirato fuori il mitra e gli hanno portato via la 128. Con questa, il giorno dopo, sono andati in un negozio che vende attrezzature tipografiche, hanno tirato fuori di nuovo le armi, hanno fatto stendere a terra il titolare e gli impiegati, e hanno portato via tutta l'attrezzatura per stampare volantini in ciclostile.

Intanto si sono messi a seguire l'obiettivo, a spiarlo e a studiarne le abitudini. Poi si sono accorti che stavano seguendo il poliziotto sbagliato, il dirigente della Narcotici, che non c'entra niente e sta da un'altra parte, e hanno ricominciato tutto daccapo. Sono terroristi che sbagliano questi, che commettono una serie di errori che potrebbero anche sembrare comici se non ci fossero di mezzo dei morti. Non sottovalutiamoli. Soltanto qualche mese prima di quel 15 luglio 1982, in aprile, hanno assassinato l'assessore regionale alla formazione professionale Raffaele Delcogliano, assieme ad Aldo Iermano, il suo autista.

Qualche mese prima di quel 15 luglio 1982. Cosa succede quel giorno?

Quel giorno ci sono quattro uomini che aspettano in piazza Nicola Amore, una piazzetta quadrata nel cuore di Napoli, a metà di quella lunga strada stretta che attraversa la città vecchia e che viene chiamata il Rettifilo. Si chiamano Emilio Manna, Vittorio Bolognese e Stefano Scarabello e con loro c'è anche Vincenzo Stoccoro. Fanno tutti parte della colonna napoletana delle Br, sono armati di mitra, pistole e fucile a canne mozze, stanno nascosti dentro la 128 rubata qualche tempo prima, sulla quale hanno sistemato una caldarella e un setaccio da muratore, per destare meno sospetti.

Stanno nascosti lí dentro e aspettano.

Aspettano Antonio Ammaturo, che abita in uno dei quattro palazzi che si affacciano sulla piazza, ma il poliziotto non arriva. Di solito rientra a casa attorno alle due del pomeriggio, ma quel giorno non arriva. È in ritardo. Allora si stancano di aspettare, mettono le armi dentro una borsa e vanno a mangiare lí vicino, in una trattoria.

Quando tornano sono ormai le quattro del pomeriggio e l'Alfasud assegnata al dottor Ammaturo è già parcheggiata sotto il portone di casa. Dentro c'è un uomo, un agente, che ha 22 anni, si chiama Pasquale Paola e fa da autista al suo commissario. I brigatisti si dividono, due vanno all'angolo della piazza che sta di fronte al palazzo, accanto a un bar, e due rimangono in macchina.

Dovrebbero aver studiato e preparato tutte le mosse per bloccare l'auto, agire, coprirsi e fuggire velocemente, e invece sbagliano tutto e sono costretti a improvvisare.

La 128 sbaglia il senso di marcia, passa davanti all'auto con il poliziotto e deve fare inversione girando a destra. Intanto il dottor Ammaturo è uscito, è salito sull'auto con l'agente Paola e si stanno allontanando. La 128 gli sbarra la strada, ma lo fa dalla parte sbagliata e uno dei brigatisti, che siede dietro e che dovrebbe uscire per coprire l'azione, non ci riesce e deve rimanere dentro. Gli altri due, quelli accanto al bar, invece arrivano. Si avvicinano all'auto dal lato destro, tirano fuori dalla borsa una pistola e un mitra e sparano. I proiettili sfondano i finestrini e investono il dottor Ammaturo e l'agente Paola, uccidendoli sul colpo, senza che riescano neppure a reagire.

Poi i due brigatisti scappano, ma anche qui va tutto storto. Corrono alla macchina, allo scoperto, e c'è quello che doveva coprirli che è ancora seduto sul sedile di dietro, dove dovrebbero salire loro. Si urtano, perdono tempo e intanto gli spari hanno richiamato nella piazzetta un vigile urbano, che estrae la pistola e spara anche lui. Colpisce i due brigatisti, ma la pistola è una 7.65, un calibro piccolo e l'adrenalina è tanta che loro non si accorgono neppure di essere stati feriti. Salgono in macchina, finalmente, e scappano.

Un film, lo abbiamo detto, un film d'azione, ma un brutto film perché in quella macchina, in quell'Alfasud ferma di traverso al semaforo della piazzetta, riversi sui sedili tra le schegge di vetro dei finestrini sfondati e il sangue, ci sono il dottor Ammaturo e l'agente Paola.

*Il filmato di repertorio è in un bianco e nero che vira quasi al seppia, e sembra ancora piú vecchio di quello che è. Mostra una piazza piena di gente in maglietta e maniche di ca-*

*micia, perché quel giorno, a Napoli, deve fare caldo. Ci sono agenti in divisa e ci sono due persone, due infermieri vestiti di bianco che tirano fuori il corpo del dottor Ammaturo dallo sportello del passeggero, tenendolo per le ascelle.*

Ma il film non è finito.

Lasciamo per un momento i due poliziotti uccisi e torniamo ai brigatisti in fuga. È importante sapere cosa gli sta accadendo. Anche qui, non è niente di quello che avevano previsto.

Il commando brigatista ha sfortuna. Nei paraggi ci sono due falchi della questura, due poliziotti in borghese, in moto, che sono lí per bloccare un'altra auto segnalata da un posto di blocco. Avvistano la 128 e la inseguono lungo via Duomo. Intanto accorrono altri due brigatisti, nascosti nella zona per proteggere la fuga degli altri. Sparano contro i falchi in moto ma non li colpiscono, sbagliano mira e feriscono gravemente tre passanti. Anche uno dei brigatisti nella macchina spara contro i falchi, si sporge dal finestrino e spara con il mitra, anche lui senza colpirli. La 128 continua a scappare, inseguita dalla moto, imbocca via San Biagio dei Librai e poi via San Gregorio Armeno e continua, di corsa, l'auto avanti e i falchi dietro, che non mollano. Allora la 128 si ferma e Vincenzo Stoccoro scende per sparare con il mitra. Lascia partire due raffiche, poi viene colpito a un piede da uno degli agenti. Anche un altro brigatista cerca di sparare, ma la sua pistola si inceppa e viene colpito al petto.

A quel punto, però, la moto sbanda e i falchi cadono. Soccoro rimonta in macchina e la 128 riparte lungo via Limongello, ma deve fermarsi subito perché la strada è ostruita da alcune impalcature. I brigatisti scendono e continuano a piedi, via Foria, piazza Cavour, porta San Gennaro, i vicoli del Rione Sanità e oltre, il cuore della vecchia Napoli.

Sono inseguiti, sono ancora armati, sono feriti e hanno bisogno di aiuto, cosí, dopo aver girato per un'ora si rivolgono a due uomini, due tipi strani, coperti di tatuaggi, due tipi che sembrano della malavita.

Gli dicono di essere brigatisti e gli uomini accettano di aiutarli. Mobilitano una rete di conoscenti e li portano in giro per vari nascondigli finché non li nascondono definitivamente in una villa a Castelvolturno. Qui li curano con bende e medicinali e li spostano ancora, in una base delle Br che si trova a Marignanella. Intanto nascondono per strada, in una nicchia sotto una pietra, i vestiti insanguinati dei brigatisti.

Le condizioni dei feriti sono preoccupanti. Per curarli i brigatisti rapiscono un radiologo, lo sequestrano e gli fanno fare una radiografia ai feriti. Poi sequestrano anche un medico perché estragga i proiettili e curi le ferite.

Tre giorni dopo, la rivendicazione dell'omicidio.

Un comunicato di cinque pagine dattiloscritte, fatto ritrovare in un cestino di rifiuti vicino la redazione del quotidiano «Il Mattino». Sotto la stella a cinque punte delle Br, l'annuncio «dell'avvenuto annientamento del massacratore di proletari Antonio Ammaturo e del suo fedele cane da guardia».

Un «massacratore di proletari» e «il suo fedele cane da guardia». Un poliziotto e il suo autista.

*Il repertorio continua con un'immagine presa dall'alto. L'auto, l'Alfasud del commissario, circondata da gente. È coperta da un telo bianco che è stato steso sui finestrini e sul parabrezza, probabilmente per non far vedere a tutti il sangue che c'è dentro, sui sedili. Sembra che sia stata uccisa anche lei.*

Il tipico linguaggio delle Br, la tipica rivendicazione. Un tipico attentato di stampo terrorista, come tanti altri, in quegli anni.

Invece no. Invece c'è qualcosa che non torna, in questo film. Perché non è un film sul terrorismo, non è un poliziesco degli anni Settanta, è una storia vera e le storie vere sono molto piú complicate e agghiaccianti.

E fanno piú paura.

Ci sono alcune cose che non tornano. Due cose, principalmente.

La prima è proprio quel poliziotto, il «massacratore di proletari» Antonio Ammaturo.

Chi è Antonio Ammaturo?

*C'è una fotografia di Antonio Ammaturo. Un volto grosso, dall'aria decisa, molto meridionale e molto virile. I capelli folti pettinati con la riga da una parte. Di solito porta un paio di occhiali dalla montatura pesante, di metallo, ma qui non li ha.*

Quando viene ucciso dalle Br Antonio Ammaturo ha 57 anni e dirige la Squadra mobile di Napoli. Ha il grado di vicequestore, ma i suoi uomini lo chiamano genericamente «dottore», come si fa con i superiori da commissario in su. Il dottor Ammaturo è un poliziotto duro e deciso, un poliziotto bravo, che sa fare il suo mestiere.

*L'avvocato Rosario Rusciano è il legale della famiglia Ammaturo.*

*Dice: «Era un uomo estremamente leale, forte, diciamo un molosso, con la criminalità, dal polso molto fermo. Nel suo lavoro, oltre a essere molto capace, era anche estremamente du-*

*ro, non cedeva a compromessi. Allo stesso tempo un marito e un genitore tenero, molto generoso e molto aperto».*

Un bravo poliziotto.

Il dottor Ammaturo era entrato in polizia nel 1951, dopo aver iniziato una carriera da avvocato che non aveva potuto portare avanti per mancanza di soldi. Il primo incarico lo aveva avuto presso la Squadra mobile di Bolzano, poi passa a dirigere quella di Avellino, dove arresta l'assassino di un carabiniere. A Potenza mette a segno una delle prime operazioni contro il racket nascente della prostituzione. Poi, a Napoli, a fare esperienza in tutti i commissariati di zona: Vomero, Fuorigrotta, Torre Annunziata, Capri, Torre del Greco.

*L'avvocato Rusciano.*

*Dice: «Anni prima aveva, contro la volontà di qualche politico che contava, arrestato un boss della Camorra. E questo era stato per lui, invece che un fatto di merito, la causa di un trasferimento, diciamo, politico, tra virgolette».*

L'esperienza piú importante è quella di Giugliano, un commissariato vicino Napoli.

È il 1964 e quella è una brutta zona. Lí comanda un boss della Camorra che si chiama Alfredo Maisto. Il dottor Ammaturo racconterà che quando si insedia al commissariato il boss lo va a incontrare in un motel. Alfredo Maisto gli dice che lui è soltanto un perseguitato dalla polizia, che le voci sul suo conto sono tutte dicerie, che è una brava persona e a riprova di tutto questo gli mostrerebbe alcune foto che lo ritraggono assieme ad alcuni politici incontrati a un congresso della Democrazia cristiana.

Ammaturo non si lascia impressionare. Prende in mano il commissariato di Giugliano, approfondisce le indagini e manda in galera Alfredo Maisto. Senza guardare in faccia nessuno.

E infatti, poco dopo, all'improvviso, viene trasferito in Calabria.

Il dottor Ammaturo non si rassegna e continua a fare il suo lavoro. A Gioia Tauro, in una sola notte, arresta sei latitanti dopo una battuta sull'Aspromonte. A Siderno sequestra un quantitativo enorme di sigarette di contrabbando nascoste in un cimitero. In un solo anno, il 1973, viene promosso tre volte, vicequestore aggiunto, vicequestore, primo dirigente.

Ma resta sempre «il dottore», un poliziotto sul campo, anche quando torna a Napoli, finalmente, a dirigere la Squadra mobile, nel 1981.

Un brutto anno, 148 morti soltanto in città, fino a quel momento. E uno scandalo che ha investito la questura dopo la sparizione di droga e refurtiva per 41 milioni dall'ufficio corpi di reato, e dopo la fuga facile del boss di Forcella Carmine Giuliano.

*L'avvocato Rusciano.*

*Dice: «Quando era tornato a Napoli, di fronte a uno scenario in cui si mescolavano sicuramente fatti politici con fatti di criminalità comune e fatti di criminalità politica, lui aveva preso, diciamo, la strada dell'investigazione, probabilmente in maniera del tutto riservata e del tutto solitaria».*

Anche a Napoli, Antonio Ammaturo, vicequestore, dirigente della Squadra mobile, il dottor Ammaturo, si mette a lavorare duramente. Non si occupa di politica, si occupa di criminalità comune e organizzata. Se si occupa di ordine pubblico è solo raramente e per dovere, e anche con una certa moderazione, come riconosce il sindaco comunista di Napoli, Maurizio Valenzi. Tra i funzionari di polizia è uno dei piú equilibrati. Non è un «massacratore di proletari», il dottor Ammaturo, non lo è per niente.

Quando viene ucciso, dopo 27 anni di carriera che lo hanno portato a uno stipendio di un milione e 200 mila lire, comprensivo di 100 mila lire di indennità di rischio e 79 mila di assegni familiari, quando viene ucciso e gli fanno il funerale, dietro la bara del dottor Ammaturo ci sono anche alcuni delinquenti comuni di Forcella, piccoli criminali arrestati dal dottore, di cui riconoscevano la durezza ma anche l'umanità.

Questo è il primo punto: per le Brigate rosse, quel poliziotto è un obiettivo anomalo. Ma c'è anche un secondo punto, un'altra anomalia.

*L'avvocato Rusciano.*

*Dice: «Il commando in fuga, con un ferito almeno, trova rifugio presso una serie di vicoli di Napoli e si palesa immediatamente ad alcuni piccoli delinquenti della zona. I quali, lungi dal rifuggire dal contatto, cosa abbastanza normale, in questo caso, invece, gli dànno rifugio».*

È vero, la fuga dei brigatisti per i vicoli di Napoli è un'anomalia.

Va bene, parliamo della colonna napoletana delle Br, quella fondata da Giovanni Senzani, quella che ha ereditato le esperienze dei Nap, in cui delinquenza comune e terrorismo politico si sono fuse spesso in quello che veniva chiamato «lo spontaneismo armato». Ma un appoggio cosí incondizionato, e cosí a rischio di rappresaglie e attenzione indesiderata da parte della polizia, è strano.

A meno che anche la Camorra non c'entri qualcosa.

E qui introduciamo un altro personaggio, anche lui sicuramente un personaggio da romanzo.

Si chiama Raffaele Cutolo.

*Nelle immagini di repertorio, Cutolo sorride quasi sempre. Anche qui. È seduto davanti al microfono, nel tribunale, di fronte alla Corte, ha detto qualcosa che lo ha fatto ridere, sottolineata con la punta del dito, e gira la testa su una spalla, solo un secondo per il carabiniere che gli sta a fianco, meno di un secondo per la telecamera, ride con qualcuno che non si vede.*

Al momento della morte di Antonio Ammaturo e dell'agente Pasquale Paola, Raffaele Cutolo ha 42 anni ed è rinchiuso nel carcere di Ascoli Piceno, dove sta scontando l'ergastolo. Viene ritenuto, come in effetti è, il fondatore e il capo della Nuova camorra organizzata, l'organizzazione che sta prendendo il potere a Napoli, annientando rapidamente i rivali della Nuova famiglia.

È sicuramente il camorrista piú forte, piú potente e piú sanguinario in quel momento, e che sia chiuso in carcere non ha molta importanza perché riesce lo stesso a comandare un esercito di almeno duemila uomini.

*Qui Raffaele Cutolo non ride, è arrabbiato. Attorno a lui, in tribunale, i carabinieri sono nervosi perché sembra che voglia alzarsi dalla sedia per andare verso il pubblico ministero, in piedi dietro il bancone.*

*«La sceneggiata l'hai fatta tu – dice Cutolo, – e dovrai risponderne personalmente» e indica il pavimento davanti a sé, come per dire vieni qui adesso. Il Pm: «Non si permetta di rispondere! » e Cutolo: «Sei soltanto un buffone... e non mi fate dire altre cose della vostra procura». Poi si arrabbia con il presidente del tribunale, urla, indicando il Pm: «E come si*

*può permettere di dire queste cose questo buffone!» «Lei deve smetterla!» urla un giudice. «Ssst!» fa un altro. Il presidente ordina: «Pigliate l'imputato e portatelo in camera...» Cutolo non lo lascia finire, si alza da solo: «Ma sí, portatemi in camera di sicurezza». E alla Corte, spavaldo: «Grazie».*

A Raffaele Cutolo il dottor Ammaturo non piace.

Intanto è bravo, anche troppo, come abbiamo visto. Poi gli ha fatto alcuni sgarbi. L'ultimo lo ha fatto pochi mesi prima di venire ucciso, ed è ancora piú grave perché lo ha fatto proprio nel territorio del boss, a Ottaviano. A Ottaviano Cutolo ha un castello e proprio lí il dottor Ammaturo ha guidato un'irruzione che ha sorpreso un meeting tra camorristi, arrestando il figlio del boss, Roberto, in manette per la prima volta.

Non solo, in un'intervista alla - il dottor Ammaturo si è permesso di offendere don Raffaele. In un'intervista a «Paese Sera» aveva chiamato Cutolo «un cialtrone». Aveva detto: «È completamente artefatto. Ogni parola che dice suona subdola, carica di secondi fini, la sua fortuna è di avere trovato terreno favorevole con i mali di questa città».

Parole pesanti, che suonano come schiaffi. E per un boss come Raffaele Cutolo, con un uomo come il dottor Ammaturo, levarsi gli schiaffi dalla faccia può significare una condanna a morte.

È per questo che è stato ucciso Antonio Ammaturo? E le Br cosa c'entrano? Rischiano cosí tanto solo per fare un favore a Cutolo?

C'è qualcosa che non quadra in questa storia.

Torniamo indietro, torniamo all'inizio del film, al prologo. C'è un poliziotto al telefono, che dice di sapere qualcosa. Qualcosa di grosso, qualcosa che può far venire un'eclisse in città. Che cosa?

Un momento, ancora non possiamo saperlo. Però facciamo un altro passo indietro, di poco, poco piú di un anno.

Un anno prima era accaduto qualcosa di grosso, in città. Era il 27 aprile 1981, il giorno del rapimento Cirillo.

*Il repertorio mostra una macchina ferma in un garage. Dentro si vede il corpo di un uomo, incastrato sotto i sedili. Ce n'è un altro a terra, fuori dalla macchina, già coperto da un telo bianco.*

L'assessore regionale ai Lavori pubblici Ciro Cirillo, Dc, viene rapito attorno alle 21.45.

Un commando delle Brigate rosse sorprende l'auto blindata della Regione Campania sotto la casa dell'assessore, uccide l'autista, Mario Cancello, uccide il brigadiere Luigi Carbone, che fa da scorta, ferisce alle gambe il segretario di Cirillo, Ciro Fiorillo, e rapisce l'assessore, caricandolo a forza su un furgone.

Anche se si tratta di un assessore regionale quasi sconosciuto fuori dalla città, è un rapimento che fa scalpore e mette in fibrillazione tutto l'ambiente politico nazionale. Ciro Cirillo è una personalità importante, è l'uomo di fiducia di Antonio Gava, responsabile dell'ufficio nazionale della segreteria della Dc, è presidente del Comitato della Regione per la ricostruzione delle zone terremotate e con la sua carica gestisce fondi molto ingenti, soprattutto in considerazione del fatto che sta iniziando la ricostruzione dopo il terremoto in Irpinia del 1980.

Ciro Cirillo rimarrà per 89 giorni chiuso in un gabbiotto dentro un covo delle Brigate rosse, subendo alternativamente bombardamenti in cuffia di musica rock e interrogatori pressanti dei brigatisti, tra cui lo stesso Giovanni Senzani, ideatore e regista del sequestro. Durante quei giorni i brigatisti fanno ritrovare volantini e comunicati che accusano l'assessore di essere il «boia della speculazione».

Poi, dopo un processo sommario tipico delle Brigate rosse, lo condannano a morte.

*Il repertorio è un documento originale delle Br.*
*Camera fissa in bianco e nero.*
*Cirillo in primo piano, di profilo.*
*Audio appannato e fruscii di fondo.*
*«Il processo a Ciro Cirillo è terminato. E la condanna a morte di questo boia è la giusta sentenza in questa società divisa in classi».*

Ma non lo uccidono.

Il 22 luglio annunciano di aver «espropriato al boia Cirillo, alla sua famiglia di speculatori, al suo partito di affamatori, alla sua classe di sfruttatori» un sacco di soldi. Insomma, che è stato pagato un riscatto, un grosso riscatto: un miliardo e 450 milioni.

Il 24 luglio 1981, le Brigate rosse liberano l'assessore Ciro Cirillo, lo lasciano imbavagliato e incappucciato nei pressi di Poggioreale e se ne vanno.

E a questo punto succede qualcosa di strano.

Ciro Cirillo riesce a liberarsi e incontra una pattuglia della stradale. Gli agenti lo caricano in macchina e dopo aver sentito via radio il comando ricevono l'ordine di portarlo subito in questura. Ma non ci riescono.

Poco dopo la pattuglia viene raggiunta da alcune volanti e accerchiata. Gli agenti delle volanti discutono con quelli della stradale, dicono di avere altri ordini, si fanno consegnare Cirillo e se lo portano via. È come se lo sequestrassero di nuovo, e infatti questo episodio è stato chiamato «il sequestro bis».

Gli agenti portano Cirillo a casa sua, a Torre del Greco, dai suoi familiari. Arrivano anche i magistrati incaricati dell'inchiesta ma non viene permesso loro di entrare.

Un medico dichiara che Ciro Cirillo non può essere interrogato e i magistrati sono costretti ad andarsene. Il pubblico ministero Libero Mancuso riuscirà a interrogare Cirillo soltanto due giorni dopo.

*Il dottor Libero Mancuso, allora, era sostituto procuratore della Repubblica, a Napoli.*

*Dice: «Noi andammo immediatamente presso l'abitazione di Cirillo ma evidentemente non facemmo a tempo, perché quando stavamo per salire le scale, scendevano quelle stesse scale gli onorevoli Piccoli e Gava, che avevano avuto un contatto con Cirillo. Noi parlammo con Cirillo che emetteva solo dei suoni inarticolati, capimmo che si trattava solo di una messa in scena, e comunque chiamammo un medico che certificò che il Cirillo era sotto forte shock. Lo interrogammo dopo diversi giorni e lui negò che ci fosse stata una trattativa e che fosse stato pagato un prezzo».*

Cose strane, strane e misteriose.

Comunque, Ciro Cirillo è a casa. A differenza di Aldo Moro, a differenza dell'ingegner Giuseppe Taliercio, direttore del Petrolchimico di Mestre, sequestrato e ucciso quasi un anno prima, Ciro Cirillo è stato condannato a morte e poi liberato. Interrogati dalla Digos e dai magistrati, Ciro Cirillo e la sua famiglia negano a lungo di aver mai pagato un riscatto, poi sono costretti ad ammetterlo. L'hanno fatto, hanno raccolto i soldi con una colletta, gente umile, dice l'assessore Cirillo, amici, e hanno pagato.

Ma fin dall'inizio, l'affare delle trattative per la liberazione di Cirillo non convince. I magistrati, il giudice istruttore Carlo Alemi, non ci vedono chiaro e vogliono andare a fondo. E quello che ipotizzano, e in parte provano, nei processi agli assassini del commissario Ammaturo e ai rapitori di Cirillo nell'86, nel '90 e nel '93, è qualcosa di incredibile, che va molto oltre la fantasia di un film.

*Il dottor Franco Roberti è sostituto procuratore nazionale antimafia.*

*Dice: «Dopo il sequestro Cirillo si aprí una trattativa tra esponenti delle istituzioni dello Stato da un lato, Cutolo e attraverso Cutolo le Brigate rosse dall'altro. In occasione del sequestro vi fu un intervento attivo dell'organizzazione cutoliana, espressamente sollecitato da esponenti dei servizi di sicurezza ed esponenti politici, in funzione della possibile liberazione dell'esponente democristiano. Questi interventi, mi riferisco in particolare a quelli dei servizi di sicurezza, non si inserirono all'interno di un'indagine diretta ad avere notizie utili all'ubicazione del sequestrato e alla cattura dei sequestratori, bensí crearono soltanto le premesse per lo svolgimento di una trattativa con le Brigate rosse, attraverso la mediazione di un criminale efferato quale appunto era Raffaele Cutolo».*

C'è una persona che pur essendo in carcere ha un controllo capillare della città di Napoli. E che proprio perché si trova in carcere ha una vicinanza stretta con i terroristi detenuti.

Quest'uomo è Raffaele Cutolo.

Già pochi giorni dopo il rapimento un uomo che dice di essere un avvocato e di chiamarsi Acanfora incontra Cutolo nel carcere di Ascoli Piceno. Cutolo non ci casca, lui lo conosce l'avvocato Acanfora e non è quell'uomo.

Allora l'uomo torna e si qualifica, si chiama Giorgio Criscuolo, e non è un avvocato ma un funzionario del Sisde, il servizio segreto civile. Lo Stato vuole l'aiuto di Cutolo per liberare Ciro Cirillo, rapito dalle Br.

*L'onorevole Paolo Cirino Pomicino, allora, faceva parte della Democrazia cristiana. Ed è napoletano.*

*Dice: «Non ricordo assolutamente che ci sia stata una capacità di mediazione. Certo, quando accadono cose del genere i servizi segreti finiscono per avere agganci con ambienti malavitosi nel tentativo di salvare la vita dell'ostaggio. Non devo ripetere ai telespettatori che quando gli americani sbarcarono in Sicilia si avvalsero dell'azione della Mafia per scacciare i nazifascisti. In una guerra i servizi di intelligence finiscono sempre per giovarsi anche dei contatti con la malavita. Dire però che la Camorra è stata mediatrice tra la famiglia Cirillo e le Br non è vero».*

Ma adesso le cose si complicano e diventano ancora piú misteriose.

Qualche settimana dopo, il Sisde è costretto a interrompere le trattative con Cutolo e al suo posto subentra stranamente il Sismi, il servizio segreto militare, che non avrebbe competenza in materia. E del Sismi se ne occupa l'ufficio di controllo e sicurezza interna, che c'entra ancora meno. Gli ufficiali che curano le trattative, in segreto, sono i massimi vertici del servizio: il generale Santovito, il generale Musumeci e il tenente colonnello Belmonte. Tutti e tre della P2. Musumeci e Belmonte, poi, sono ufficiali particolari: qualche anno dopo saranno condannati entrambi con sentenza definitiva per depistaggio nelle indagini sulla strage della stazione di Bologna.

Lo scopo delle trattative è chiaro. Convincere Cutolo a parlare con le Br. A mettersi in contatto con i brigatisti di Giovanni Senzani.

Comunque sia, durante il sequestro Cirillo il penitenziario di Ascoli Piceno sembra un porto di mare.

Ricordiamocele quelle persone che vanno e vengono dal carcere, ricevute da Raffaele Cutolo come nell'anticamera di un grande albergo. Ci va il colonnello Belmonte accompagnato da un ufficiale dell'aeronautica, il colonnello Adalberto Titta. Adalberto Titta, ricordiamocelo. È un collaboratore dei servizi segreti Adalberto Titta, e poi? Chi va a trovare Cutolo in carcere?

Vincenzo Casillo, un camorrista, uno dei luogotenenti di Cutolo. Casillo, ricordiamocelo. Ha un guardaspalle che si chiama Salvatore Imperatrice, ricordiamoci anche di lui.

Un altro camorrista, addirittura latitante, ricercato dalla polizia, Corrado Iacolare. Un altro camorrista ancora, Luigi Bosso, che sta in galera assieme a Cutolo, e viene mandato dal boss in giro per le carceri, a fare da ambasciatore con i Br detenuti.

Uomini dei servizi segreti, camorristi, addirittura latitanti ricercati dalla polizia, che vanno e vengono dal carcere di Ascoli Piceno. C'erano anche dei politici?

Secondo il dottor Alemi, uno sicuramente sí.

Giuliano Granata, sindaco Dc di Giugliano e braccio destro di Cirillo. Sindaco di Giugliano, proprio quella cittadina in cui il dottor Ammaturo aveva arrestato il boss Maisto e poi era stato trasferito. Ce ne sono altri?

Sulla base delle dichiarazioni di alcuni pentiti di Camorra e di testimonianze, il dottor Alemi orienta le sue indagini su nomi molto importanti. Secondo il dottor Alemi dietro le trattative ci sarebbero Antonio Gava e suo padre Silvio, il senatore Patriarca, Vincenzo Scotti e Flaminio Piccoli. Negano tutti, decisamente. La loro posizione viene stralciata e a loro carico non viene trovato nulla.

Comunque, le trattative riescono, perché Ciro Cirillo viene liberato e Raffaele Cutolo si vanta di aver salvato un essere umano. Lodevole intento... ma basta? È bastata questa soddisfazione a convincere il boss piú potente della Camorra di quegli anni?

*Il sostituto procuratore nazionale antimafia Roberti.*
*Dice: «In cambio della liberazione di Cirillo furono promesse alle Brigate rosse armi, denaro. A Cutolo invece fu promesso il trasferimento carcerario di numerosi camorristi, un trattamento a loro favorevole, perizie psichiatriche favorevoli, tangenti sugli appalti della ricostruzione, la possibilità di intervenire in questi appalti con ditte subappaltatrici legate all'organizzazione cutoliana».*

Non basta, non ci sarebbe solo questo. Se è possibile, ci sarebbe anche qualcosa di peggio, qualcosa di piú agghiacciante.

Ci sarebbe una lista di «sbirri», di magistrati e di poliziotti che a Cutolo non piacciono e che vorrebbe far fuori, magari con l'aiuto e con la copertura delle Brigate rosse.

*L'avvocato Risciano.*
*Dice: «Ci fu un vero e proprio scambio tra Nuova camorra organizzata di Cutolo e i brigatisti. E, diciamo, una delle merci di scambio era l'eliminazione di Ammaturo».*

C'era anche Antonio Ammaturo in quella lista?

Nel giugno del 1986, nell'ambito del processo alle Br napoletane, la Corte d'assise condanna il gruppo di fuoco che in piazza Nicola Amore ha ucciso il vicequestore Antonio Ammaturo e l'agente Pasquale Paola. Vincenzo Stoccoro, Vittorio Bolognese, Stefano Scartabello ed Emilio

Manna prendono l'ergastolo, altri brigatisti della colonna napoletana vengono condannati, quasi tutti confessano, in gran parte si dissociano.

Sulle trattative, sui rapporti con la Camorra, sulla partecipazione di politici, nessuno di loro dice nulla, a parte «non ricordo», «ho rimosso», e addirittura una lettera consegnata a una suora che contiene «rassicurazioni a tutte le articolazioni della Dc» sul loro silenzio.

Va bene. Antonio Ammaturo è stato ucciso dalle Br napoletane, su questo non c'è dubbio, ma perché? Perché Cutolo voleva levarsi gli schiaffi dalla faccia?

Torniamo indietro ancora, al prologo di questo film.

Un poliziotto al telefono, qualcosa di grosso, un plico che contiene indagini riservate inviato al ministero e uno al fratello. Ecco, il fratello del nostro poliziotto, Grazio Ammaturo, è convinto che Antonio stesse facendo indagini proprio sul caso Cirillo. Gliene aveva accennato una volta, parlando con lui, ed era anche preoccupato: «Se non mi fanno fuori prima cadranno teste altisonanti». Ma il plico non c'è, non esiste, o non è mai arrivato, né al fratello né al ministero.

Indagini riservate. Anche uno dei colleghi di Ammaturo alla Squadra mobile, il dottor Salvatore Pera, ne aveva sentito parlare. Indagini sul caso Cirillo, di cui avrebbe fatto relazione direttamente al ministero. Il questore di Napoli, Walter Scott Locchi, però nega. Ammaturo non indagava sul caso Cirillo, né lui glielo avrebbe permesso dato che era competenza della Digos.

Ci sono documenti che scompaiono o che semplicemente non si trovano piú.

Per esempio quattro bigliettini che vengono trovati durante una perquisizione a casa di Cutolo, a lui indirizzati. Sono biglietti di ringraziamento e sono sospetti perché arrivano dopo la conclusione del sequestro Cirillo, uno è firmato da un senatore e gli altri tre sono su carta intestata della Camera. Il funzionario che li sequestra non li trasmette alla magistratura, li consegna al questore, poi si dimentica di richiederli indietro per utilizzarli nelle indagini.

*L'interrogatorio dell'allora questore di Napoli Walter Scott Locchi è nel repertorio. Si agita molto, muovendo una mano, mentre risponde davanti al microfono.*

*«Se mi permette, signor presidente, io voglio dire che cos'erano quei biglietti. Erano dei biglietti in risposta agli auguri ricevuti. Io stesso, se un pregiudicato mi manda degli auguri, la cortesia vuole che gli risponda. La direttiva che io davo e che credo molte segreterie dànno è che se c'è un biglietto d'auguri... poi le firme erano illeggibili, non so neanche a quale partito politico appartenessero questi mittenti».*

Sparisce parte delle registrazioni telefoniche delle trattative tra la famiglia Cirillo e il Br Giovanni Senzani, sparisce la corrispondenza di Cutolo in carcere durante il periodo del sequestro e alcune lettere di politici ricevute quando era latitante, spariscono rapporti dei carabinieri, dossier riservati, spariscono le stesse richieste che il giudice istruttore, il dottor Alemi, fa alle autorità per ricevere i documenti. A momenti sparisce anche la relazione di servizio della volante che si è vista sequestrare Ciro Cirillo dai colleghi, dopo la sua liberazione.

*Il dottor Carlo Alemi.*

*Dice: «Quando chiesi a questo appuntato di consegnarmi questa copia della relazione, lui la prese, la fece a pezzi e la mise in bocca. Proprio cose che non si possono immaginare... Allora lo invitai a restituirmi questo foglietto, gli feci capire che la giornata l'avrebbe conclusa nel carcere di Poggioreale e a questo punto si decise a restituirmi questo foglietto che abbiamo ricomposto e che è agli atti del processo».*

E rischia anche lui, il dottor Alemi.

Dopo il primo processo alle Br napoletane vuole andare piú a fondo sulle trattative, sul coinvolgimento di Cutolo e anche su quello di eventuali politici.

*Il dottor Alemi.*

*Dice: «Dopo il deposito della mia ordinanza di rinvio a giudizio ci sono stati degli attacchi violentissimi. L'allora Presidente del Consiglio, a cui erano state richieste le dimissioni dell'allora ministro degli Interni onorevole Gava, rispose che non era il caso, dicendo che io ero un giudice che si era messo fuori dal circuito costituzionale. Questa posizione ha avuto anche un seguito perché sono stato sottoposto a provvedimento disciplinare e sono stato querelato dall'onorevole Scotti per averlo nominato nell'ordinanza. Il provvedimento disciplinare si è concluso con la mia disincolpazione all'unanimità e il procedimento per la querela si è concluso con un proscioglimento in istruttoria».*

Ma non sono solo le carte che spariscono. Succede molto di peggio.

Spariscono le persone.

Ricordiamoci quei nomi di prima. Li ritroviamo quasi tutti. Vincenzo Casillo, il luogotenente di Cutolo, salta per aria con la sua macchina proprio accanto alla sede del Sismi di Forte Boccea. Qualche giorno dopo il corpo della sua convivente viene ritrovato murato dentro un pilone di calcestruzzo.

Salvatore Imperatrice, il suo guardaspalle, viene ritrovato morto in carcere, impiccato a una trave della finestra della cella. Suicida?

Luigi Bosso, l'ambasciatore di Cutolo nelle carceri, ha un infarto. All'età di 42 anni. Non è l'unico, ha un infarto anche Adalberto Titta, l'ex ufficiale dell'aeronautica che collabora con i servizi segreti.

C'è anche il dottor Ammaturo in questa lista di persone che secondo il giudice istruttore Alemi sapevano troppo sul caso Cirillo? Secondo la sentenza di primo grado del processo Cirillo, poi confermata in appello, sí. Secondo il fratello, Grazio Ammaturo, sí. Sarebbe interessante chiederglielo e farsi spiegare meglio cosa gli ha detto il fratello poliziotto, al telefono. Ma non è possibile.

È morto anche lui, in Tunisia.

In un incidente stradale.

Per quanto ci riguarda, il film finisce qui.

Per noi era stato soprattutto questo, la storia di un uomo, un uomo dello Stato, un poliziotto che forse aveva scoperto troppo.

*Nel repertorio c'è anche la voce di Antonio Ammaturo. È la registrazione di un'intervista rilasciata a una radio locale. Dice cose interessanti, il dottor Ammaturo, con il suo timbro molto meridionale, molto virile.*

*«Ho potuto constatare, specie in periodo pre-elettorale, che il politico ha bisogno di questi capi bastone, come si chiamano in Calabria. A Giugliano in Campania Maisto si vantava di portare diecimila voti a un certo personaggio politico e... questo lo si deve vedere in tante cose, oggi noi abbiamo la politica degli appalti e... hanno bisogno dell'uomo politico e l'uomo politico alle elezioni ha bisogno anche di questa gente».*

## Antonino Gioè
*Roma, 28 luglio 1993*

Questa è una storia di Mafia.

Ma non la solita storia di Mafia, di quelle che crediamo, anche se non è vero, di aver già sentito raccontare tante volte. Questa è una storia di Mafia molto particolare. È la storia di un uomo in crisi, di una morte misteriosa, di grandi personaggi da romanzo, buoni e cattivi, di intrighi.

E, forse, di un equivoco.

Se fosse un romanzo sarebbe *Il Padrino* di Mario Puzo, se fosse un film sarebbe *La Piovra*, o forse no, perché quello che accade qui dentro è molto di piú e la narrativa, la *fiction*, non bastano.

Questa è una storia vera di bombe, di stragi e di morti.

Questa è la storia di quando la Mafia dichiarò guerra all'Italia.

La nostra storia di Mafia è anche la storia di un uomo in crisi ed è cosí che comincia, con un uomo.

Un uomo in carcere.

Il carcere è quello di Rebibbia, a Roma, e l'uomo è un siciliano, detenuto nella cella numero 3 della sezione B del braccio G7.

Da un paio di giorni quell'uomo si comporta in modo strano. Di solito, durante l'ora d'aria, sta assieme ad altri detenuti, tutti siciliani, ma in quei due giorni no.

Non esce. Se ne sta dentro, nella cella numero 3 della

sezione B. Un suo amico, un detenuto per reati di Mafia che si chiama Giovanni Romeo, lo nota e glielo chiede: perché non esce, cosa c'è? Ma l'uomo dice che non è nello stato d'animo di parlare, e che domani uscirà. Domani.

Il giorno dopo, invece, non esce. Se ne resta in cella. È inquieto, pensieroso.

E scrive.

È il 28 luglio 1993, sono le 22.30 e Romeo cerca di contattare l'uomo, che non ha visto in cortile. Cerca di comunicare con lui come si fa in carcere, bussando contro il muro, ma non ha risposta. Vabbe', pensa, a quell'ora di solito dorme ed è quello che probabilmente fa anche in quel momento, starà dormendo. E invece no.

È quasi mezzanotte e mezza quando Romeo sente confusione provenire da dietro il muro, dalla cella dell'uomo. Confusione, voci, movimenti... che cosa sta succedendo nella cella numero 3 della sezione B?

È successo che un agente di custodia che sta facendo un giro di ispezione davanti alle celle del braccio G7, ha lanciato un'occhiata dentro la cella numero 3. Ha visto l'uomo, l'uomo pensieroso, l'uomo inquieto che non usciva per l'ora d'aria, impiccato alla grata della finestra.

Arrivano altri agenti, arriva un vicesovrintendente, arriva un ispettore e assieme cercano di soccorrere l'uomo, lo sollevano per le gambe e intanto salgono su un tavolo e cercano di staccarlo dalla finestra, poi lo stendono sul letto e provano a rianimarlo con un massaggio cardiaco, ma non c'è niente da fare. Arriva anche il medico di guardia, che prova anche lui, ma niente, l'uomo è morto e non resta che constatarne il decesso.

Si è impiccato, ha usato le stringhe delle scarpe per legarsi alla grata della finestra, e si è ucciso.

Nella cella, su un tavolo, c'è una lettera. Sono tre fogli,

sei facciate scritte a mano, con una calligrafia nervosa, che si riempie di cancellature e si inclina sempre di piú. È una strana lettera.

«Stasera sto trovando la pace e la serenità che avevo perso circa 17 anni fa. Perse queste due cose ero diventato un mostro e lo sono stato fino a quando ho preso la penna per scrivere queste due righe...»

Un mostro. «Ero diventato un mostro e lo sono stato».

Un mostro.

Perché? Chi è quell'uomo impiccato nella cella numero 3 del braccio G7 di Rebibbia?

Alla Direzione investigativa antimafia, sulla scheda dell'uomo c'è scritto «Gioè Antonino di Antonio e Lo Nigro Caterina, nato ad Altofonte (Pa) il 4-2-1948. Operaio, pluripregiudicato per associazione a delinquere, esplosivi, stupefacenti, armi e Mafia».

*Il dottor Gabriele Chelazzi è sostituto procuratore alla Direzione nazionale antimafia. Parla con molta lentezza, ponderando le parole, come a volte fanno i toscani.*

*Dice: «Gioè era una figura assolutamente non secondaria nell'ambito di Cosa Nostra. Anzitutto non era un giovane, aveva una militanza nell'organizzazione che risaliva a molti anni prima. Aveva personalmente partecipato a fatti di gravità massima».*

Non è un mafioso qualunque, Antonino Gioè, non è un pesce piccolo, è uno che conta, uno che ne ha fatte di cose.

Fa parte della cosca di Altofonte ed è legato a boss del calibro dei fratelli Di Carlo, di Leoluca Bagarella, di Giovanni Brusca e di Totò Riina. Il primo arresto lo ha subíto nel 1979, per detenzione di armi e traffico di stupefacenti, e soltanto in quell'anno, il 1979, riceve altri sette mandati di cattura. Viene indagato per aver preso parte a sei omicidi e nel 1981 viene schedato come mafioso. Ufficialmente, però, è soltanto il titolare di un distributore di benzina.

Ad Altofonte, nell'indagare su di lui, gli agenti della Squadra mobile di Palermo sottolineano che hanno notato «una diffusa reverenza nei confronti di Gioè da parte degli abitanti del luogo». È un pezzo grosso Antonino Gioè, uno che conta e che fa paura.

Ma soprattutto, Antonino Gioè è questo.

*Sono immagini di repertorio conosciute, viste forse mille volte, ma fanno sempre impressione. Ogni volta c'è un particolare nuovo che le rende ancora piú terribili, ancora piú agghiaccianti. Le auto sventrate, accartocciate, rovesciate su un fianco, quasi interrate tra le zolle scavate e ricadute dall'alto.*

Nel maggio del '92, Antonino Gioè si introduce in un tunnel dell'autostrada che dall'aeroporto di Punta Raisi va a Palermo.

È un piano che lo vede coinvolto con gli uomini piú rappresentativi delle cosche, La Barbera, i Ganci, Biondino, Di Matteo, Troia, Ferrante. Là sotto piazza un congegno ideato da Pietro Rampulla, un estremista di destra esperto di esplosivi e legato alla cosca di Nitto Santapaola. Il congegno è collegato a cinque quintali di tritolo e polvere T4 arrivata dalla ex Jugoslavia.

Alle 17.02 un telefonino squilla in mano a Gioacchino La Barbera.

«Pronto, Mario?» dice una voce. «No, ha sbagliato», risponde La Barbera.

È un segnale in codice. Significa che tre auto, una Croma blindata bianca, una marrone e una blu, hanno lasciato un garage nel centro di Palermo, dirette all'aeroporto di Punta Raisi.

A Punta Raisi le auto caricano alcuni passeggeri e quando ripartono sono seguite da La Barbera, che le stava aspettando in una stradina laterale. La Barbera chiama un altro cellulare, a cui risponde proprio Gioè, che si trova assieme agli altri uomini delle cosche su una collinetta nei pressi dell'autostrada, all'altezza di Capaci. Con loro c'è un luogotenente di Totò Riina, Giovanni Brusca, con un telecomando.

La Barbera e Gioè parlano del piú e del meno, per piú di cinque minuti. È un codice anche quello, perché La Barbera sta verificando la velocità delle auto, poco meno di 100 chilometri all'ora, cosí si può calcolare quando le auto passeranno dal punto giusto.

Quando questo accade, alle 17.56, Giovanni Brusca prende il pulsante che aziona il telecomando.

Giovanni Falcone, uno dei magistrati piú importanti nella lotta alla Mafia, quasi il simbolo stesso di quella lotta, salta in aria cosí, assieme alla moglie Francesca Morvillo e agli agenti di scorta della Croma marrone, Schifani, Montanari e Di Cillo.

È una delle pagine piú nere nella storia della lotta alla Mafia.

È l'*attentatuni*.

*Le lamiere contorte su quello che sembra il deserto di un vulcano, le pietre gettate attorno, i teli mimetici sulle carcasse schiantate delle auto, la gente che guarda tra i pezzi d'asfalto divelti e sembra non rendersi conto di essere dentro un cratere enorme, al centro dell'autostrada.*

*No, davvero, saranno anche immagini di repertorio conosciute e viste mille volte, ma è difficile non restare ogni volta sgomenti di fronte alla strage di Capaci.*

Antonino Gioè viene arrestato il 19 marzo 1993.

A chiamarlo in causa era stato un pentito, Baldassarre Di Maggio, ma gli investigatori della Dia e della Squadra mobile di Palermo ce l'avevano nel mirino da parecchio tempo. Intercettavano il suo telefono e ascoltavano tutte le sue conversazioni. Controllavano tutte le persone che incontrava. Seguivano la sua auto.

Un giorno lo pedinano e notano che va spesso in un appartamento assieme a un altro pregiudicato, Gioacchino La Barbera. Allora riempiono l'appartamento di microfoni, intercettazione ambientale si chiama, e ascoltano. Quando lo arrestano gli contesteranno proprio quelle intercettazioni, perché Gioè ha parlato parecchio in quell'appartamento.

Gioè è disperato. Ha detto troppo, lui, un uomo d'onore, un uomo di Cosa Nostra, ha parlato troppo danneggiando l'organizzazione. Fin dall'inizio cerca di sminuire quello che ha detto, di contattare l'esterno e avvertire gli amici. Ma deve fare in fretta.

È preoccupato, sa che tra poco applicheranno anche per lui il 41 bis, il regime carcerario duro che impedisce ogni contatto con l'esterno. Ma soprattutto, sa che sta per accadere qualcosa di terribile, e cerca di fermarlo.

Poi, il 29 luglio, muore, impiccato alla grata della finestra con i lacci delle scarpe.

Un suicidio cosí, di un uomo cosí, fa pensare, ovviamente. Si apre un'inchiesta, si notano alcune piccole contraddizioni tra le versioni degli agenti e tre di questi vengono indagati. Ma il referto del medico è chiaro, l'autopsia concorda perfettamente con una dinamica suicidaria. E infatti le accuse ai tre agenti sono di agevolazione al suicidio con condotta omissiva, perché gli hanno lasciato i lacci delle scarpe che poi ha usato per uccidersi.

Va bene, molto probabilmente, quasi sicuramente, Antonino Gioè si è suicidato.

Ma perché?

*Il dottor Gabriele Chelazzi, toccandosi i baffi e parlando lentamente, da toscano cauto.*

*Dice: «La mia opinione è che Gioè, approssimandosi a un gesto estremo, si sia interrogato su dove lo avevano portato le scelte che aveva fatto, le scelte di adesione a una organizzazione criminale come Cosa Nostra. Perché le efferatezze alle quali Gioè aveva contribuito sono indicibili. Però, per ragioni che a noi sfuggono, Gioè si sentiva in dovere di fare per una volta chiarezza su se stesso».*

Chiuso nella sua cella, nelle sue ultime ore di vita, Antonino Gioè scrive una lunga lettera.

È importante quella lettera, molto importante. C'è un passaggio, a un certo punto, che suona cosí: «Io rappresento la fine di tutto».

La fine di tutto, e tutto, per un uomo come Gioè, è Cosa Nostra, è la Mafia, è l'organizzazione. Perché stava succedendo qualcosa di strano, in quel momento, a Cosa Nostra. Qualcosa che va oltre *Il Padrino*, oltre *La Piovra*, oltre la narrativa e la *fiction*.

*Il repertorio delle immagini di Mafia di quegli anni è ricco di immagini simili, quasi uguali. Auto ferme in mezzo alla strada, con i finestrini sfondati o bucati dai proiettili, e dentro, uomini abbandonati sui sedili, con la bocca spalancata e la testa piegata su una spalla. Morti.*

All'inizio degli anni Ottanta la battaglia per l'egemonia dentro Cosa Nostra era stata vinta da un gruppo che aveva annientato nel sangue tutti gli avversari, con una serie di omicidi che verrà ricordata come «la mattanza»: piú di mille morti ammazzati in meno di cinque anni. Dagli altri mafiosi gli uomini del gruppo vincente vengono chiamati «i viddani», i villani, i contadini, perché vengono da un paese dell'interno: Corleone.

I Corleonesi sono spietati e feroci, ma il loro capo è il piú spietato e feroce di tutti: si chiama Salvatore Riina, detto Totò, «u' curtu».

Totò Riina regge Cosa Nostra assieme a Bernardo Provenzano e Leoluca Bagarella. Con lui l'organizzazione diventa sempre piú potente, segreta e spietata. E ricca. Oltre al traffico degli stupefacenti e al controllo delle attività illegali ci sono le tangenti sugli appalti. Una percentuale fissa, una tassa, che si chiama appunto «tassa Riina».

*Antonio Di Pietro, quando era un magistrato, è stato uno dei protagonisti dell'inchiesta Mani pulite.*

*Dice: «C'era una caratteristica fondamentale. A Milano c'era la grande imprenditoria, i cui diretti rappresentanti sotto inchiesta stavano parlando e stavano dicendo di tutto e di piú. Arrivati sotto Roma, al massimo fino all'Aniene, questi sembrava che non pagassero piú mazzette. Ecco l'anomalia della prima parte di Mani pulite: ma come mai tutti questi pagavano tutto fino a metà Italia e guarda caso nell'altra metà dell'Italia, dove c'erano Camorra, 'Ndrangheta, Sacra Corona Unita, Mafia, di mazzette non se ne parla? Questo, non poteva essere cosí. Il motivo non poteva che essere quello che un imprenditore poi disse: "Dottò, mi dica tutto quello che vuole sapere per questa metà dell'Italia, per l'altra parte no, perché t'ammazzano". Perché non sono due i soggetti interessati, il politico e l'imprenditore, ma sono tre. E il politico e l'imprenditore devono trovare l'accordo, o meglio, devono segui-*

*re le istruzioni, o meglio, devono attenersi alle indicazioni che dice loro il terzo soggetto, che è il garante della* pax *sociale. Quello che deve trovare le persone che devono fare i lavori in subappalto, trovare i dipendenti, fare in modo che non accadano né incendi né attentati, fare in modo che i terreni si sblocchino al momento giusto... insomma, il mafioso».*

Senza collusioni col mondo degli affari e soprattutto con quello della politica, la Mafia non sarebbe cosí forte. Senza soldi, protezioni e coperture, avrebbe perso da un pezzo la sua guerra contro lo Stato. Una guerra che ha visto cadere magistrati e uomini delle forze dell'ordine, giornalisti, politici e semplici cittadini.

Poi, all'inizio degli anni Novanta, succede qualcosa che dà una mano allo Stato in questa guerra.

C'è Tangentopoli. Anche se i processi per corruzione non arrivano fino in Sicilia, la geografia politica cambia, il mondo politico di riferimento di Cosa Nostra si disintegra e lo Stato lancia una controffensiva.

Cosa Nostra è nei guai.

Reagisce come al solito: cerca di comprare magistrati che aggiustino i processi, minaccia, intimidisce, uccide anche un giudice, Antonino Scopelliti. Non basta: il 30 gennaio 1992 la Corte di cassazione conferma gli ergastoli del maxiprocesso dell'87, la prima grande sconfitta della Mafia. Che regola i suoi conti con chi non ha saputo tutelare i suoi interessi.

La mattina del 12 marzo del 1992 l'eurodeputato Dc Salvo Lima, definito anche in atti giudiziari uno dei principali referenti politici di Cosa Nostra, viene inseguito da un killer per le strade di Mondello e ucciso a colpi di pistola.

Ma non sono solo gli amici a pagare, ci sono anche i nemici. Tra questi, lo abbiamo visto, c'è Giovanni Falcone.

*Antonio di Pietro.*

*Dice: «Io ricordo che andai a casa di Borsellino e c'era questa tensione, ed egli, me lo ricordo, mi disse: "Dobbiamo fare in fretta, in fretta, in fretta, dobbiamo capire, dobbiamo vederci..."».*

Bisogna fare in fretta.

Il procuratore aggiunto Paolo Borsellino aveva preso il posto di Giovanni Falcone, a Palermo. Voleva riprendere in mano una precedente indagine su Mafia e appalti, su Cosa Nostra, mondo imprenditoriale e mondo politico.

Il 18 luglio del 1992 è domenica e Paolo Borsellino sta andando a trovare la madre. Sono le 16.55 quando la sua auto e quella degli agenti di scorta imboccano il vialetto che porta a un tranquillo condominio residenziale, in via D'Amelio. All'improvviso una 126 parcheggiata sulla strada esplode, uccidendoli tutti.

*Anche a questo repertorio è difficile abituarsi. Le auto annerite, carbonizzate, le macchie di fuliggine sui marciapiedi. Dice il giudice Ayala, tra i primi ad arrivare sul posto, che il suo amico, il giudice Paolo Borsellino, lo riconobbe dalla forma dei denti.*

Muoiono il giudice Borsellino, gli agenti Vincenzo Li Muli, Agostino Catalano, Walter Cusina, Claudio Traina, Emanuela Loi, tutti quanti.

Perché questo attentato? Perché tutta questa fretta? L'*attentatuni* ai danni di Falcone era stato preparato per mesi e qui, soltanto 56 giorni dopo, Cosa Nostra uccide un altro giudice, rischiando le conseguenze.

La risposta dello Stato e della gente, questa volta, non si fa attendere. La stessa notte dell'attentato di via D'Amelio i principali boss mafiosi vengono trasferiti dai vari istituti nel supercarcere di Pianosa.

*Nicola Mancino era ministro degli Interni.*

*Dice: «Decidemmo non solo di trasferire i detenuti piú pericolosi in carceri speciali, ma decidemmo anche di portare in Sicilia l'esercito per sollevare la polizia dai compiti istituzionali minori».*

In tempi brevissimi passano le leggi sulle collaborazioni di giustizia e sul 41 bis, l'articolo sul carcere duro che in pratica impedisce ai boss di comunicare con l'esterno. Si intensifica lo sforzo investigativo e viene subito nominato procuratore di Palermo un magistrato del calibro di Giancarlo Caselli. C'è anche una risposta culturale, una forte rivolta delle coscienze che si concretizza in una manifestazione pubblica, a Palermo.

E la Mafia? E Cosa Nostra? Che cosa fa? Cosa Nostra, da qualche tempo, sta facendo qualcosa di imprevedibile.

A questo punto dobbiamo inserire nella nostra storia un altro personaggio, un personaggio da romanzo di spie, come quelli di Ludlum o di John Le Carré. Si chiama Paolo Bellini, nato a Reggio Emilia il 14 novembre 1954.

Cioè no, si chiama Roberto Da Silva, nato a Rio de Janeiro il 29 marzo 1953. O meglio Luigi Iembo, nato a Cutri il 24 novembre 1949.

Insomma, chi è quest'uomo? Come si chiama?

*Il dottor Chelazzi.*

*Dice: «Bellini è un personaggio abbastanza comune, nel senso che di personaggi come lui ce ne saranno stati nel corso degli anni chissà quanti. Aveva avuto burrascosi trascorsi giu-*

*diziari, era stato detenuto ed era stato detenuto sotto falso nome. Addirittura si era detto che potesse avere avuto rapporti con i servizi di sicurezza».*

Il suo vero nome è Paolo Bellini, di Reggio Emilia, ed è veramente un tipo strano. In effetti, un uomo che si trova in carcere sotto falso nome qualche perplessità, qualche idea da romanzo giallo, la suscita.

Bellini è un ex estremista di destra di Avanguardia nazionale con precedenti penali per furto, ricettazione di opere d'arte e tentato omicidio. Non solo, è anche un informatore, un confidente dei carabinieri. Conosce Antonino Gioè nel carcere di Sciacca, nel 1981, lui si fa chiamare Da Silva ma non importa, probabilmente Gioè conosce anche il suo vero nome. Dieci anni dopo, quando sono fuori, si incontrano di nuovo, perché Bellini deve recuperare alcuni crediti in Sicilia e gli viene in mente di farsi aiutare dalla persona giusta, il suo amico Gioè, che in quella zona della Sicilia sa come farsi valere.

Ma il vero ramo di Bellini sono le opere d'arte. Cosí, quando i carabinieri di Modena gli chiedono di raccogliere notizie su un grosso furto avvenuto alla Pinacoteca di Modena, furto per il quale si pensa alla criminalità organizzata, a Bellini torna in mente Gioè.

Un componente del Nucleo tutela del patrimonio artistico, il maresciallo Roberto Tempesta, consegna a Bellini una busta con le foto delle opere d'arte rubate e Bellini la fa vedere a Gioè. Esagera, gli dice che le foto gli sono state date da un gruppo di onorevoli del Nord, che sono molto interessati al recupero.

Gioè riferisce a Giovanni Brusca, che riferisce a Totò Riina. A quel punto, a Gioè, a Brusca, a Totò Riina, a qualcuno dentro Cosa Nostra, viene un'idea.

In uno degli incontri successivi è Gioè a mostrare a Bellini delle foto, delle polaroid scattate a quadri e opere d'arte. Sono altre opere d'arte e Cosa Nostra si offre di restituirle allo Stato. In cambio vuole gli arresti ospedalieri, quelli da cui è facile contattare l'esterno o scappare, per mafiosi come Luciano Liggio, Pippo Calò, Bernardo Brusca, Giovan Battista Pullarà e Giuseppe Gambino.

Una trattativa, insomma, una trattativa con lo Stato. Opere d'arte in cambio di un abbassamento della guardia.

Attenzione, perché non è un'idea da sottovalutare.

Cosa Nostra ci ha pensato. A farle venire quell'idea sono state alcune parole di Bellini nel commentare la strategia mafiosa.

«Una persona, per quanto importante, può essere sostituita. Un'opera d'arte persa una volta è persa per sempre».

Cosa Nostra si rende conto all'improvviso che il patrimonio artistico può essere un canale di trattativa con lo Stato. Non solo, a un certo punto Gioè dice che potrebbero far saltare in aria la Torre di Pisa. Bellini dice che sarebbe terribile. Sarebbe la morte di un'intera città.

Sono discorsi che vengono presi in considerazione. Ascoltati direttamente. Durante uno dei loro incontri c'è lo stesso Giovanni Brusca che ascolta, nascosto in un'altra stanza.

Sembra davvero un film.

A un certo punto, però, la trattativa si blocca. Ovviamente il maresciallo Tempesta non può favorire cosí un gruppo di mafiosi, neanche a nome dei suoi superiori.

Il maresciallo comunica a Bellini che non se ne fa niente e che la cosa finisce lí. Bellini, naturalmente, è terrorizzato. Non si può dire una cosa del genere alla Mafia. Portare impunemente la notizia di un rifiuto.

Cosí dice a Gioè che lo Stato tratta ma riduce l'offerta, solo per Bernardo Brusca, intanto. È una menzogna ma serve a prendere tempo e restare vivo.

Non si può dire di no alla Mafia.

*Il dottor Chelazzi.*

*Dice: «Bellini ha cercato di legittimarsi, al massimo delle sue possibilità, come soggetto credibile per i suoi interlocutori del momento, ma nell'ambito di un discorso che non andava oltre i quadri per il recupero dei quali non andava oltre la richiesta dei carabinieri. Non fu sicuramente una trattativa, perché Bellini non aveva nessuna investitura».*

Contemporaneamente sta succedendo un'altra cosa.

Un'altra cosa strana.

C'è un capitano dei carabinieri che si chiama Giuseppe De Donno. È un importante ufficiale del Ros, il Reparto operativo speciale che sta cercando a tutti i costi di catturare Totò Riina. Su un aereo, durante un volo Palermo-Roma che avviene tra la strage di Falcone e quella di Borsellino, il capitano De Donno incontra per caso il figlio di don Vito Ciancimino.

Ciancimino è l'ex sindaco di Palermo, punto di riferimento politico per i Corleonesi, che in seguito verrà condannato a dieci anni per associazione di stampo mafioso.

Al capitano De Donno viene un'idea: incontrare don Vito e convincerlo a collaborare. Lo fa, lo incontra e poi fa incontrare Ciancimino al suo superiore, il colonnello Mario Mori, che comanda il Ros.

Il colonnello Mori è un ufficiale di grande esperienza, che ha diretto operazioni contro la Mafia e il terrorismo e che attualmente è stato messo al comando del Sisde, il servizio segreto civile. Azzarda, bluffa, dice che questa guerra tra Stato e Mafia non può portare a nulla e che vorrebbe parlare con qualcuno di Cosa Nostra.

Ciancimino prende tempo, si consulta con i boss.

*Il dottor Chelazzi.*

*Dice: «È di questa situazione che Riina ha notizia immediata. E siccome la persona con la quale Ciancimino ha avviato questo contatto è una figura di assoluto rilievo, nelle parole che Riina adopera con Brusca si coglie questa, possiamo chiamarla soddisfazione di Riina: la controparte pubblica, lo Stato, colpito e colpito duro attraverso le stragi sta cercando di trovare una via d'uscita alla situazione, che è ingovernabile».*

A uno dei successivi incontri, Ciancimino riporta il parere della Mafia.

Si può fare.

Totò Riina ha elencato una serie di richieste, il «Papello» lo hanno chiamato: via il 41 bis, via la legge Rognoni-La Torre che sequestra i beni dei mafiosi, via la normativa sui pentiti, revisione delle sentenze già pronunciate.

La Mafia tratta, lo Stato cosa offre? Il colonnello Mori è spiazzato. Voleva soltanto arrivare alla cattura di un latitante, non può trattare a nome dello Stato. Cosí lo dice a Ciancimino, che i mafiosi si consegnino e lo Stato tratterà bene le loro famiglie.

Anche Ciancimino, come prima Bellini, a questo punto si spaventa. Lo dice al colonnello Mori: «Lei mi vuole morto, anzi, vuole morire anche lei. Io questo discorso non lo posso fare a nessuno».

E anche questa serie di incontri si blocca.

Per il colonnello Mori e per il capitano De Donno, come dichiareranno in seguito, era solo un espediente per arrestare qualche latitante. Per Cosa Nostra, invece, si tratta di una vera e propria trattativa.

Per farla andare avanti, dice Totò Riina, ci vuole un «colpetto». È la solita strategia dei Corleonesi, «sparare per parlare», «fare la guerra per fare la pace». Bisogna dare un colpetto.

Bisogna ammazzare qualcuno.

*Il dottor Pietro Grasso è il procuratore della Repubblica di Palermo.*

*Dice: «Inizialmente ne parla La Barbera e poi viene confermato anche da Brusca e da altri collaboratori... l'oggetto dell'attentato dovevo essere proprio io. Si trattava di collocare un ordigno di esplosivo ad alto potenziale posto in un tombino davanti casa dei miei suoceri. Il momento fu rinviato per la presenza di frequenze di un sistema d'allarme di una banca che stava nei pressi, che avrebbero potuto innescare anzitempo l'esplosivo. Quindi fu rinviato. Poi furono arrestati La Barbera, Gioè, Riina, per cui il progetto non fu eseguito. Per fortuna».*

Intanto, Totò Riina viene arrestato. Su indicazione di un boss che sta collaborando con la giustizia, Balduccio Di Maggio, i carabinieri del capitano Ultimo bloccano un'auto all'angolo tra via Bernini e viale Regione Siciliana, a Palermo. Dentro c'è Totò Riina, il capo della Mafia.

*C'è un'intervista di repertorio fatta al colonnello Mori, in cui l'intervistatrice, nello studio del Tg di Palermo, gli chiede: «Colonnello, Cutolo ha detto: "Riina o è un Padreterno o è il Demonio"», e il colonnello risponde: «Non mi è parso né un Padreterno né un Demonio...» mentre in sovrimpressione passa la fotografia di Riina in manette, che con i capelli corti color pepe e sale, la sciarpa sul cappotto e quel volto anonimo da anziano pensionato della Coldiretti, in effetti non sembrerebbe né un Padreterno né un Demonio...*

È il 14 gennaio 1993.

Il 23 marzo viene catturato Antonino Gioè.

Ma le cose non si fermano. Cosa Nostra ha i suoi piani, la sua strategia, che va avanti lo stesso anche senza il capo. Per sbloccare la trattativa scatta un piano diverso, già deciso. La guerra continua.

14 maggio 1993.

Una Fiat Uno carica di esplosivo esplode in via Fauro, a Roma, a 15 metri da un incrocio. È un'esplosione violentissima, che sconvolge tutta la zona. Incredibilmente ci sono solo una trentina di feriti, nessuno grave. L'obiettivo, però, era un altro, era un giornalista che stava passando in macchina, seguito dalla scorta: Maurizio Costanzo, espostosi negli ultimi tempi con una serie di trasmissioni impegnate nella lotta alla Mafia.

*Nell'intervista che Giulio Borrelli gli fa per il telegiornale, Maurizio Costanzo sembra pallido, ma forse è solo il colore del filmato di repertorio. Anche Maria De Filippi, che gli siede accanto e appoggia la testa a una mano, sembra pallida. C'era anche lei sulla macchina, quando è scoppiata la bomba.*

*«Credo che la Mafia abbia voluto indicare nei media e nell'informazione, in un certo tipo di informazione, un rischio. E perché non pensare che questo sia temibile, o perché non pensare che la Mafia o i nuovo padroni della Mafia, la nuova cupola che ha preso il posto di Totò Riina, abbia voluto dare un segnale, un primo segnale. È un'ipotesi...»*

L'attentato non riesce, ma la Mafia non si ferma. È scattato il piano diverso.

Sta per accadere qualcosa di terribile.

27 maggio 1993.

Firenze. Per tutto il giorno i turisti hanno affollato il centro storico, le piazze e le strade, come via dei Georgofili, dove si trova la Torre dei Pulci, sede di una importante accademia artistica.

Tutto tranquillo fino all'una di notte.

A quell'ora una miscela di Pentrite, Tritolo, T4 e Nitroglicerina nascosta in un furgoncino rubato esplode, distruggendo la Torre e danneggiando gli edifici che le stanno attorno per un raggio di 400 metri. I danni sono enormi, lí accanto ci sono chiese, c'è la Galleria degli Uffizi, ci sono quadri, ci sono statue, vanno distrutti tre dipinti per un valore complessivo di 15 miliardi e ce ne vogliono altri 30 soltanto per ricostruire la Torre.

Ma soprattutto, questa volta il bilancio delle vittime è piú pesante: ci sono cinque morti, la famiglia che custodiva la Torre e un vicino, e 35 feriti.

Non è finita.

27 luglio 1993.

Via Palestro, Milano, sono le 23.00. C'è un'auto che fuma, parcheggiata contromano. Viene fermata una pattuglia di vigili che chiama i pompieri. Aprono il baule e c'è uno strano pacco, stretto dal nastro adesivo, e collegato alla macchina da alcuni fili. Non sarà una bomba?

I vigili del fuoco si allontanano e cominciano a far sgomberare la strada quando all'improvviso l'auto esplode.

La bomba uccide quattro vigili del fuoco. Un pezzo dell'auto scardinato dall'esplosione vola attraverso i giardini pubblici e uccide un cittadino marocchino che stava dormendo su una panchina. Anche qui l'obiettivo è un museo, il Pac, Padiglione d'arte contemporanea, che viene completamente sventrato dall'esplosione, mentre rimane danneggiata anche la Villa reale, sede della Galleria d'arte moderna.

Non è finita, non ancora.

28 luglio 1993.

Piazza San Giovanni in Laterano, a Roma.

Un'autobomba esplode poco dopo mezzanotte provocando un cratere del diametro di quasi quattro metri, all'angolo tra il palazzo del Laterano e la basilica di San Giovanni. Nessuna vittima, soltanto qualche ferito, ma moltissimi danni ai quadri, agli affreschi, alle suppellettili dei palazzi, osservati con preoccupazione anche dal Papa, il giorno dopo.

E ancora.

Via del Velabro, Roma.

Il portico della Chiesa del Velabro crolla sotto l'esplosione di un'autobomba imbottita di esplosivo che danneggia l'interno della chiesa e molti dei palazzi vicini e ferisce alcuni degli abitanti della zona.

Un'altra bomba, la quinta, in pochi mesi.

*Nicola Mancino.*

*Dice: «La Mafia faceva paura. E il quadro politico sfilacciato induceva piú a temere che ad avere fiducia».*

Non solo, c'è anche qualcosa di piú, di piú inquietante, se possibile. Quel 28 luglio, proprio mentre a Roma stanno esplodendo le bombe, c'è un black-out a Palazzo Chigi che interrompe tutti i telefoni e le linee di comunicazione. Palazzo Chigi, dove sta il Presidente del Consiglio, completamente isolato e proprio in un momento come quello.

*Nicola Mancino.*

*Dice: «Fu strano quello che avvenne, l'interruzione di cor-*

*rente, le luci che mancarono, i telefoni che non funzionavano... però non ci perdemmo di coraggio. Fui io stesso parlando col Capo dello Stato a dichiararmi disponibile a trasferire tutti gli apparati di sicurezza dal ministero dell'Interno a Palazzo Chigi e da Palazzo Chigi governammo questa difficile situazione. Il timore ci poteva essere, perché l'offensiva sul continente era imprevista e imprevedibile»*.

Il 28 luglio 1993, a Roma scoppiano le bombe e Palazzo Chigi resta isolato da un black-out. Il giorno dopo, Antonino Gioè viene ritrovato impiccato con i lacci delle scarpe alle grate della cella. Perché?

Torniamo alla sua lettera, a quelle tre pagine che Antonino Gioè scrive poco prima di morire. «Io rappresento la fine di tutto».

C'è un episodio importante, raccontato da Gioacchino La Barbera dopo che viene arrestato e comincia a collaborare con la giustizia. Lui e Gioè erano dentro il tunnel, sotto l'autostrada nei pressi di Capaci, a sistemare l'esplosivo che ucciderà Giovanni Falcone, sua moglie e la scorta. La Barbera non capisce quello che sta succedendo, l'*attentatuni*, quella cosa cosí grossa, e allora lo prende da parte.

Cosa stiamo facendo, gli chiede La Barbera, cosa vogliono fare i Corleonesi, la guerra allo Stato? Ma cosí dove andiamo a finire?

Dove andiamo a finire? Per Gioè non ci sono alternative.

Per noi, gli dice, c'è l'alternativa di finire all'ergastolo, oppure di morire in un conflitto a fuoco, o di mettersi un laccio al collo e suicidarsi. O anche di essere ammazzati da Cosa Nostra se avessero manifestato il minimo segno di dissenso.

E poi gli dice un'altra cosa, una cosa che fa paura.

Quello è solo l'inizio.
Ci sono cose che devono accadere, cose che devono fare.
Cose terribili.

Piú o meno quando Gioè sta scrivendo la sua lunga lettera, Cosa Nostra ne sta scrivendo un'altra. I postini della Mafia ne imbucano quattro copie. Due non si sa dove vadano a finire, ma altre due arrivano al «Messaggero» e al «Corriere della Sera», e sono lettere che fanno paura.

«Tutto quello che è accaduto è soltanto il prologo. Dopo queste ultime bombe informiamo la nazione che le prossime a venire andranno collocate soltanto di giorno, in luoghi pubblici. Saranno esclusivamente alla ricerca di vite umane.

P.S. Garantiamo che saranno centinaia».

Non è mai successo, non è mai accaduto che la Mafia si sia messa a spedire lettere per rivendicare attentati. Ma forse sono solo parole. Bluff. Tentativi di alzare la tensione della trattativa.

No. Quello che accade dopo non lo avrebbe immaginato nessuno scrittore di romanzi, neanche Mario Puzo, neanche nel *Padrino*.

Nel gennaio del '94 doveva scoppiare un'altra bomba. Era stata confezionata con esplosivo pressato dentro sacchi della spazzatura, legato e compattato con nastro adesivo. Perché fosse piú micidiale ci avevano messo assieme anche pezzetti di tondino di ferro, in modo che facessero da proiettili. L'ordigno viene caricato dentro una macchina a cui viene applicato un telecomando che servirà a farla esplodere. Poi l'autobomba viene portata sull'obiettivo.

Lo stadio Olimpico di Roma.

Di domenica.

Un'ora prima della fine della partita.

Pronta a esplodere proprio al passaggio dei pullman con i carabinieri del servizio d'ordine. Ma c'è un imprevisto: il telecomando non funziona, e la bomba non salta.

Questo è terrorismo.

Questa è una cosa diversa, questi non sono omicidi intimidatori, non sono giudici o poliziotti da togliere di mezzo, azioni di vendetta contro chi si è opposto alla Mafia. Gli omicidi di Salvo Lima, le stragi di Falcone e di Borsellino, per quanto quest'ultima sia anomala, rispecchiano ancora una logica di vendetta, di eliminazione diretta di uomini dello Stato che dànno fastidio a Cosa Nostra. Gli attentati alle opere d'arte sono un passo avanti in una strategia che guarda al futuro, all'intimidazione dello Stato.

Ma questa indicata dalla lettera è un'altra cosa. Queste sono stragi, è terrorismo, è strategia della tensione.

Poi, all'improvviso, tutto si blocca. Le stragi finiscono. Le bombe non esplodono piú.

Perché?

Il 6 giugno 1998, presso la Corte d'assise di Firenze, si tiene il primo processo per le stragi del '93. La sentenza, confermata poi anche dalla Corte d'assise d'appello, condanna come mandanti delle bombe Totò Riina, Leoluca Bagarella, Matteo Messina Denaro, Giovanni Brusca, Bernardo Provenzano, Giuseppe Ferro, Filippo e Giuseppe Graviano.

Sono tutti boss mafiosi e le bombe le hanno fatte mettere per un vero e proprio «attacco terroristico contro lo Stato italiano, per costringerlo a venire a patti con Cosa Nostra... distruggere parti del patrimonio artistico italiano aveva l'unico scopo di dar vita a una vera e propria guerriglia armata contro lo Stato, proprio perché questo, per la prima volta nella storia repubblicana, aveva osato reagire ai precedenti atteggiamenti criminali».

La sentenza parla anche degli incontri tra gli uomini dello Stato e gli emissari della Mafia. Qualunque cosa fosse, trappola o trattativa, è cosí che la intesero gli uomini di Cosa Nostra. È la sentenza di Firenze a dirlo.

«L'effetto che ebbe sui capi mafiosi fu quello di convincerli definitivamente che la strage era idonea a portare vantaggi all'Organizzazione».

Forzare la mano allo Stato. Dichiarare guerra all'Italia. Per dirla con le parole semplici e terribili di Giovanni Brusca, che voleva addirittura disseminare di siringhe infette le spiagge di Rimini: «O fai quello che diciamo noi o sennò mettiamo tante di quelle bombe che non ci fermiamo piú».

E invece, all'improvviso, si fermano.

Perché?

Forse Cosa Nostra capisce che la strategia stragista non può vincere e fa marcia indietro. Forse lo Stato ha resistito e ha vinto.

*Nicola Mancino.*

*Dice: «Lo Stato ebbe la forza di contrastare e di reagire. Non possiamo dire di avere sconfitto la Mafia ma di avere portato colpi mortali all'organizzazione mafiosa, non solo in Sicilia ma anche in altri territori, questo lo si può tranquillamente affermare».*

Forse è anche Cosa Nostra che ha cercato strade piú traverse ma meno ripide.

È la Corte d'assise di Firenze, parlando della campagna stragista, a dirlo. «Gli animatori di questa campagna si resero conto però, in corso d'opera, che le stragi avrebbero potuto rivelarsi inefficaci. Per questo si fecero promotori, alla fine del '93, di un apposito movimento politico, Sicilia Libera, che assecondasse le loro iniziative».

Nell'ottobre del '93 a Catania e a Palermo nasce Sicilia Libera, un movimento che mette insieme persone ignare e oneste, ma che avrebbe tra i suoi promotori occulti nientemeno che Leoluca Bagarella. Scopo di Sicilia Libera: aggregare voti e collegarsi ad altri movimenti autonomisti del Sud, ma soprattutto fare da interlocutore di altri movimenti e uomini politici.

In fondo è proprio da lí che iniziano molti dei guai di Cosa Nostra: la perdita di un referente politico.

Forse, in quegli anni, Cosa Nostra lo trova questo referente politico. Su questo versante, come su quello di ipotetici altri mandanti dietro le stragi mafiose del '93 e anche la morte del giudice Borsellino, la magistratura sta ancora indagando.

In ogni caso le stragi cessano e per la Mafia sembra aprirsi un'altra fase storica. Una strana Mafia, che sembra essere diventata invisibile.

Davvero lo Stato ha vinto e la Mafia non c'è piú?

*Il dottor Grasso.*

*Dice: «Parlare di Mafia invisibile non vuol dire mitizzarla, farne qualcosa di inafferrabile. La Mafia, per noi che siamo qua, è visibile, eccome. Può diventare invisibile se non se ne parla piú, se si ritiene che l'attuale fase di* pax *mafiosa possa determinarne la sconfitta. E se la politica non mette piú nelle sue agende il problema mafioso come prioritario. Allora sí che ci preoccuperemmo moltissimo. In realtà per chi sta qua, per chi combatte, per chi vive in questa terra, la Mafia è visibilissima».*

Questa è una storia di Mafia, una storia di Mafia molto particolare.

Ed è anche la storia di un uomo in crisi, lo abbiamo visto, un uomo che si uccide quando crede che sia finito tutto. Un uomo dell'Organizzazione.

Come dimostra un'intercettazione che lo sorprende assieme a La Barbera. Sono due amici, sono in un momento di riposo, stanno parlando del piú e del meno e come due colleghi parlano anche di lavoro. Di capimandamento, di cosche. Di Mafia.

*Nel repertorio c'è l'intercettazione. Gioè e La Barbera parlano in palermitano, la loro voce arriva attutita dai microfoni nascosti, ma davvero hanno quel tono rilassato che si ha quando ci si scambia confidenze, stesi da qualche parte, magari a fumare o a bere qualcosa.*

*La Barbera dice: «C'è un certo discorso politico da fare...» Giovanni dice: «Scambia tutte le cose senza farlo andare, piglia cinquecento milioni di soldi» e Gioè risponde: «Gente pericolosa sono». E La Barbera: «*u' reggente su' iddi*, il reggente sono loro... perché noi non abbiamo un reggente, abbiamo un pupo...»*

Sergio Castellari
*Sacrofano, 18 febbraio 1993*

Questa è una storia che parla di soldi, tanti soldi, cosí tanti che è anche difficile riuscire a immaginarli.

E parla poi di un uomo disperato, di un sostituto procuratore molto deciso, di un suicidio misterioso e di una corsa contro il tempo. Sono argomenti da romanzo giallo, sembra la trama di *Piú bianco del bianco* di Sandro Ossola, e invece è la realtà, è uno dei grandi Misteri d'Italia, che sembrano sempre piú incredibili del piú incredibile *thriller*.

Questa è una storia di tangenti, che detto cosí non sembra neanche una gran cosa, sembra la solita cosa, un peccato veniale, un affare di soldi, dimenticando che quando i soldi sono tanti, spesso ci sono anche gli intrighi, i depistaggi, le violenze, i suicidi misteriosi.

E gli omicidi.

Questa è una storia di bugie, di soldi e di morte.

È la storia di Sergio Castellari e della «tangente Enimont».

Inizia a Sacrofano, vicino Roma, il 25 febbraio 1993.

C'è una battuta in corso, un'operazione di ricerca coordinata dal capo della Squadra mobile Rodolfo Ronconi, per la quale vengono mobilitati imponenti mezzi della polizia. Agenti a piedi, reparti cinofili, reparti a cavallo, anche un elicottero. Stanno setacciando le campagne tra Sacrofano e Formello, a pochi chilometri da Roma, in cerca di un uomo.

Il figlio di quest'uomo si è presentato in questura, due giorni prima, a denunciare la scomparsa del padre, e subito sono scattate le ricerche. Ricerche immediate, ma soprattutto imponenti, senza risparmio di mezzi, come se fin da subito tutti pensassero, sapessero, che è successo qualcosa di brutto.

E infatti è successo.

Dopo aver perlustrato la zona, un elicottero della polizia si sposta tra Monte Corvino e Sacrofano e avvista un corpo steso nell'erba di un campo. Vengono mandati immediatamente sul posto due agenti della polizia a cavallo, che poi saranno raggiunti da quelli della Squadra mobile di Roma, dai tecnici della polizia scientifica e dal magistrato.

Il corpo è in cima a una collinetta, steso sulla schiena, con la testa ruotata da una parte. Ha il braccio sinistro piegato sul petto e il destro allungato sul terreno, con la mano aperta e le dita leggermente flesse. Tra le gambe ha il mozzicone di un sigaro, mentre accanto gli viene trovata una bottiglia di whisky, mezza vuota.

In testa ha il buco di un colpo di pistola, un foro tondeggiante sulla parte destra dell'osso temporale, il segno di un proiettile che ha attraversato la scatola cranica per uscire da dietro, quattro centimetri sopra l'orecchio sinistro.

E addosso, infatti, ha una pistola, una piccola Smith e Wesson calibro 38, a tamburo, con la canna da due pollici.

Sembra un suicidio. È un suicidio.

Forse.

Perché qualche elemento strano, subito repertato dai tecnici della polizia e poi elaborato dai medici legali, c'è.

Sul vetro della bottiglia di whisky non vengono trovate impronte, nessuna. È perfettamente pulita. Sul mozzicone di sigaro ci sono tracce di saliva e la prova del Dna dimostra che parte di questa appartiene a una donna. L'autopsia dice che il proiettile che ha ucciso l'uomo attraversandogli il cervello lo ha paralizzato sul colpo, impedendogli qualunque movimento, però la pistola che gli viene ritrovata sulla pancia ha la canna infilata dentro la cintura e il cane alzato. E manca un bossolo dentro il tamburo. L'uomo, poi, non ha quasi piú il volto e gli mancano due dita della mano sinistra.

Sí, però due giorni prima, al limite di una zona boscosa poco lontano dalla collinetta era stata trovata l'auto dell'uomo e dentro c'era un biglietto con su scritto: «Non desidero che nessuno, tranne i miei familiari, sia presente ai funerali. Voglio essere tumulato a Sacrofano». Sembra l'ultimo messaggio di un suicida, come sembrano le ultime lettere di un suicida quelle che vengono ricevute dalla moglie dell'uomo, dai figli, e anche dalle redazioni di alcuni giornali.

Un suicidio sicuramente.

Forse.

Perché ci sono quei particolari che vanno ancora spiegati. Ma soprattutto c'è l'identità dell'uomo. Chi è lui e che cosa gli stava accadendo proprio in quei giorni?

L'uomo si chiama Sergio Castellari e stava per essere arrestato. O almeno cosí credeva.

Perché?

Per una storia di soldi.

Al momento della sua morte Sergio Castellari ha 61 anni e fa il consulente per alcune grandi imprese. Fino al 1992 era stato il direttore generale del ministero delle Partecipazioni statali, una carica importante, in un ministero importante che ha il compito di fare da mediatore tra lo Stato e le grandi imprese pubbliche, e che quindi gestisce e controlla enormi somme di denaro.

Bisogna fare attenzione quando si parla di operazioni che riguardano fondi, bilanci o sovvenzioni, in quel periodo. Bisogna fare molta attenzione quando si parla di soldi, in quegli anni. Sono gli anni di Tangentopoli, ma soprattutto sono gli anni di Mani pulite. Delle indagini su chi ha dato e ricevuto mazzette per fare qualcosa. Il 15 febbraio 1993, pochi giorni prima della sua scomparsa, la Guardia di finanza aveva fatto una perquisizione in casa sua e aveva sequestrato dei documenti.

Perché?

*L'avvocato Luigi Di Maio era il legale di Sergio Castellari.*

*Dice: «È questo il mistero. Nel senso che Sergio Castellari non era per niente entrato nella vicenda dell'Enimont. All'improvviso la Guardia di finanza sequestra documenti, perquisisce la sua villa, sia quella di Sacrofano sia l'abitazione della moglie ai Parioli. Naturalmente lui rimane allibito da questo fatto. Non ha mai avuto nessun avviso di reato, all'improvviso viene messo sotto il fuoco di fila della procura di Roma. Quindi mi telefona, io mi precipito subito dal procuratore aggiunto dottor Torri, che era il titolare dell'inchiesta, al quale mi faccio portavoce della richiesta di Castellari che vuole essere sentito sui fatti. Fissiamo un appuntamento, lui viene sentito, dà delle spiegazioni molto esaurienti, a detta dello stesso dottor Torri, e si riserva di presentare un memoriale».*

Il sostituto procuratore che si occupa dell'indagine assieme al dottor Torri si chiama Orazio Savia ed è un pubblico ministero della procura della Repubblica di Roma. L'ipotesi di reato che il sostituto procuratore Savia configura per Sergio Castellari è violazione di custodia delle pubbliche cose. Ha in casa, insomma, documenti che dovrebbe tenere in ufficio. Castellari si difende dicendo che sono solo fotocopie e che è abituato ad averle sotto mano perché gli servono. Il sostituto procuratore Savia, però, non gli crede e chiede l'arresto di Castellari.

Dietro quelle carte, pensa, c'è di piú.

C'è la tangente Enimont.

Torniamo indietro un momento, a quel 18 febbraio. Quella che vogliamo raccontare è una storia di soldi ma anche la storia di un uomo disperato e di un suicidio misterioso.

La notte prima di morire Sergio Castellari dorme da un amico. Non vuole rimanere a casa sua perché ha paura di essere arrestato da un momento all'altro. Quella sera infatti Castellari è molto agitato, dice l'amico. Non solo, è preoccupato per l'incontro che dovrà avere il giorno dopo, alle 15.30, proprio con il sostituto procuratore Orazio Savia.

Ma prima ha un altro paio di appuntamenti.

La mattina dopo, infatti, si sveglia di buon'ora ed esce prestissimo, praticamente all'alba, perché ha un incontro importante. Sono le sette del mattino e Sergio Castellari deve incontrare nientemeno che Giulio Andreotti. L'inchiesta che lo coinvolge, infatti, è un'inchiesta complessa, per la quale è meglio chiedere qualche consiglio.

È l'inchiesta sulla tangente Enimont.

La tangente Enimont.

È sicuramente uno degli snodi cruciali di molti misteri d'Italia. Una quantità inimmaginabile di soldi che scorrono come un fiume sotterraneo. Una serie di segreti che venendo a galla travolgono gran parte della classe dirigente della Prima Repubblica. E che si portano dietro parecchie morti, ancora misteriose. Qualcuno la chiama «la madre di tutte le tangenti», la madre, come la strage di piazza Fontana, che è stata chiamata «la madre di tutte le stragi».

Ma cos'è la tangente Enimont?

Chi se ne intende di piú è sicuramente uno dei sostituti procuratori protagonisti delle indagini che l'hanno fatta venire a galla: Antonio Di Pietro.

Cos'è la tangente Enimont? Un affare di soldi, ma quanti?

*Antonio Di Pietro.*

*Dice: «Enimont e Mani pulite sono due facce della stessa medaglia. Mani pulite è quella potente inchiesta giudiziaria che ha scoperchiato il pentolone di Tangentopoli, di questa città virtuale fatta di malaffare, riguardante tanti segmenti di affari, di appalti, tra imprese e istituzioni. Enimont è un po' la madre di tutti gli affari. Abbiamo indagato su tre filoni di indagini. Uno riguardante il caso della costituzione di Enimont, allorché Eni e Montedison si fusero. La seconda è quando Enimont, una volta fusa, viene – scusate se lo dico in dipietresco – sfusa. La terza avviene quando ritornando di proprietà privata col blitz di Gardini, a ridosso delle elezioni del '92, per ingraziarsi il sistema dei partiti lui, a pioggia, finanzia la campagna elettorale di quasi tutti i partiti dell'arco costituzionale».*

Per raccontare la tangente Enimont bisogna partire da un uomo, un uomo strano e importante, e per finire anche qui un suicidio misterioso. L'uomo si chiama Raul Gardini, ed è indubbiamente anche lui un personaggio da romanzo.

*Nel filmato di repertorio un giornalista ferma Raul Gardini lungo un corridoio e gli mette il microfono davanti al naso. Gli dice che ci sono due correnti di pensiero, una che lei compra, l'altra che lei vende, dove sta la verità?*

*Gardini quasi non lascia al giornalista il tempo di finire la domanda, che ha ascoltato in fretta, elegante nel suo completo blu, il sopracciglio rotto, sempre un po' inarcato, che dà al suo volto un'espressione forzatamente ironica.*

*Risponde: «Decido io».*

Lo chiamano «Il Contadino» perché è romagnolo e perché è a capo dell'impero agroalimentare del gruppo Ferruzzi, di Ravenna. Lo chiamano anche «Il Corsaro», perché gli piacciono le barche a vela e perché sembra bravissimo a navigare in Borsa, rischiando e vincendo. In pochi anni, con i soldi della Ferruzzi, dà la scalata alla Montedison e ne diventa presidente.

Siamo nel 1987. In quegli anni un po' ovunque nel mondo aumentano le concentrazioni industriali. Anche nella chimica. A qualcuno viene l'idea di fondere assieme i due principali poli della chimica italiana, quello pubblico dell'Eni e quello privato della Montedison in una nuova *joint venture* che si chiamerà Enimont.

Il 24 febbraio 1988 il Presidente del Consiglio Ciriaco De Mita approva, il ministro delle Partecipazioni statali Granelli esegue e i presidenti dei due poli firmano: Reviglio per l'Eni e Raul Gardini per la Montedison. Presidente della nuova Enimont: Sergio Cragnotti; amministratore delegato: Lorenzo Necci.

Gli accordi sono semplici: 40 per cento all'Eni, 40 per cento alla Montedison e il 20 per cento sul mercato. Ma c'è subito qualcosa che non va. Due cose, principalmente.

La prima.

Dai conti fatti Gardini comprende che sarà costretto a pagare piú tasse per l'aumento del valore del suo gruppo. 800 miliardi. Troppi. Ci vuole qualcosa che permetta di non pagare. Per esempio un decreto legge sulla defiscalizzazione.

Nel maggio del 1989 il governo ne presenta uno, ma viene bocciato. Viene ripresentato in luglio ma viene bocciato di nuovo. Ancora in settembre, con lo stesso risultato. Gennaio '90, un altro buco nell'acqua, anche perché nel frattempo è accaduta un'altra cosa.

La seconda.

Qualcuno si è accorto che, nascosto dietro una serie di società e di finanziarie che stanno comprando quel 20 per cento di Enimont messo sul mercato, c'è un uomo solo: Raul Gardini. Messo assieme al 40 per cento della Montedison gli permetterebbe di controllare tutta la *joint venture*.

L'accordo salta.

Il ministro delle Partecipazioni statali Francesco Piga fissa il prezzo delle azioni Enimont e impone un compromesso a Gardini: o compra anche la parte dell'Eni o vende la sua.

Gardini sceglie di vendere. Le azioni costano 1650 lire per titolo. L'incasso sarà di 2850 miliardi. Un buon affare, dato che la stima è di 600 miliardi superiore al «valore reale» delle azioni.

Andrebbe tutto bene se non fosse che sull'affare si abbatte la bufera di Mani pulite.

Prima la procura di Roma, nel '90, con un'inchiesta che si conclude con un nulla di fatto. Poi ancora la procura di Roma, alla fine del '92, con un'inchiesta condotta dai sostituti procuratori Torri e Savia, Orazio Savia. Quasi contemporaneamente interviene anche la procura di Milano.

Nel febbraio '93 alcuni dirigenti dell'Eni vengono arrestati per un affare di tangenti, uno dei tanti che vengono alla luce in quel periodo. Interrogati dai magistrati del pool di Mani pulite parlano e raccontano di altri soldi. Una tangente grossa, grossissima. C'è implicato il vicepresidente della Montedison di Gardini, Giuseppe Garofano.

Che viene arrestato a Ginevra il 13 luglio e immediatamente estradato a Milano.

Parla anche lui, e dice tutto.

Alt. Torniamo a Castellari, non perdiamolo di vista.

18 agosto.

C'è qualcuno che dice di aver visto Sergio Castellari quella mattina, dalle parti di piazzale Clodio, a Roma, mentre parla con una persona sconosciuta. Chi è? Non lo sappiamo.

*L'avvocato Di Maio.*

*Dice: «Questo è il mistero per il quale io mi sono scervellato per tantissimo tempo. Mi ricordo che lui disse che doveva incontrare una persona che doveva metterlo in contatto con la procura per sapere di piú, per avere anche un confronto con quanto gli avevo detto io nella mia qualità di avvocato. Ma chi fosse non lo so. Escludo che questa persona potesse essere Andreotti, anche perché l'appuntamento con Andreotti era un appuntamento che lui prese al mio studio circa dieci giorni prima ed era un incontro dove lui voleva avere un appoggio di carattere psicologico da colui che era stato il precedente ministro delle Partecipazioni statali. Incontrò quell'altra persona. Perché dico che la incontrò? Perché nella lettera che scrive si riferisce a due fonti, e questa seconda fonte si riferisce a giovedí, perché altrimenti, se fosse stato il mercoledí, mi avrebbe parlato di quest'altra fonte. Che gli riferisce cose non vere. Gli riferisce che la procura stava procedendo nella richiesta d'arresto».*

Alle 11.00 del mattino Sergio Castellari ripassa dalla casa dell'amico presso cui aveva dormito. Vuole semplicemente salutarlo, ma è molto pallido e sempre agitato. È vestito come quella mattina e ha in mano la sua borsa nera. Poi prende l'auto e si dirige verso Sacrofano, vicino Roma, dove arriva attorno alle 11.40. Entra nella villa e pochi minuti dopo ne esce di nuovo, salutando il custode.

È pallido e molto agitato, dice l'amico.

Come un uomo che ha paura, che si sente nei guai. C'è il sostituto procuratore Savia, che dovrà interrogarlo piú tardi.

Qualche mese prima si era creato un conflitto di competenza tra la procura di Roma e quella di Milano su chi avesse piú diritto a condurre l'inchiesta sulla tangente Enimont. Orazio Savia aveva insistito particolarmente: a Roma, perché erano stati loro i primi a iniziare l'inchiesta. Poi però il procuratore della Repubblica di Roma Vittorio Mele aveva passato la mano a Milano, perché lí c'erano stati gli sviluppi piú importanti.

Il sostituto procuratore Savia, però, non si era dato per vinto. C'era la pista Castellari da seguire, c'era la sua posizione nell'affare da comprendere.

C'era un arresto da fare.

A Milano, Giuseppe Garofano parla.

Per tutto quello che è successo, per agevolare l'accordo tra Eni e Montedison, per far varare il decreto di defiscalizzazione, per far sopravvalutare le azioni dell'Enimont, Gardini ha pagato tangenti. Ha dato soldi, milioni, centinaia di milioni, miliardi a politici, funzionari statali, segretari di partito, soldi per anni e sempre di piú, preso in un vortice da cui non può piú tirarsi indietro, in cui bisogna andare avanti e pagare ancora, a ogni passo, sempre di piú.

Un sacco di soldi.

150 miliardi. Raccolti attraverso un complesso affare di compravendita di immobili dall'imprenditore romano

Domenico Bonifaci. Trasformati in Bot e Cct e consegnati all'imprenditore milanese Sergio Cusani. Che li consegna a Luigi Bisignani, responsabile dell'ufficio relazioni esterne dell'Enimont, perché li depositi allo Ior, la Banca vaticana, in modo che li cambi in moneta sonante e pulita, da versare su banche estere in paradisi fiscali, come il Lussemburgo o la Svizzera, dove opera un altro uomo di Gardini, Giuseppe Berlini. Fondi neri per le tangenti. Tanti, tantissimi soldi.

*Antonio Di Pietro.*

*Dice: «150, 160 miliardi di acquisizione, attraverso un falso in bilancio, di fondi neri e distribuzione ai sistemi di partiti. C'è da dire anche che se ne parla molto poco, che di quei 150 miliardi l'inchiesta assicurerà alla giustizia circa 60, 70 miliardi. Resta ancora il dubbio di che fine abbiano fatto altri 60 miliardi che Cusani ha detto di aver restituito in contanti a Gardini. Insomma, c'è ancora un buco nero sulla destinazione finale di quei 150 miliardi».*

«Dazioni di denaro a partiti politici e piú specificatamente a personalità politiche in occasione di vicende attinenti la *joint venture* Enimont e in altre occasioni».

È cosí che definisce la supertangente lo stesso Gardini in una lettera rivolta ai sostituti procuratori Antonio Di Pietro e Francesco Greco.

È uno scandalo che travolge il mondo politico italiano e che vede sul banco degli imputati personaggi che tutti erano abituati a considerare intoccabili.

*Il repertorio mostra le immagini del processo Enimont.*
*Prima Carlo Sama, ex amministratore della Montedison.*
*Il Pm Di Pietro: «Quanti soldi avrebbe stanziato per il Psi?»*

*Sama: «Quantomeno un miliardo e mezzo».*

*Di Pietro: «Al Psi a nome di chi avevamo detto?»*

*Sama: «Onorevole Craxi e onorevole Martelli».*

*Poi Bettino Craxi, segretario del Psi.*

*«Né la Montedison, né il Gruppo Ferruzzi, né il dottor Sama né altri, né direttamente né per interposta persona, a me personalmente hanno dato una lira».*

*Di nuovo Sama.*

*Di Pietro: «Quanti soldi bisognava dare al segretario politico della Dc?»*

*Sama: «Un miliardo e cinquecento milioni».*

*Allora Arnaldo Forlani, segretario della Dc.*

*«Lo nego nel modo piú assoluto».*

*Di nuovo Carlo Sama.*

*Di Pietro: «Forlani a questo punto cosa ha detto?»*

*Sama: «Mi disse di consegnarlo al senatore Citaristi, che mi avrebbe fatto visita lo stesso pomeriggio».*

*Di Pietro: «Ma lei ci aveva i soldi appresso?»*

*Sama (allargando le braccia): «No...»*

*Di Pietro: «Davanti a lei fece qualcosa Forlani?»*

*Sama: «Telefonò al senatore Citaristi e lo informò della cosa».*

*Adesso il senatore Severino Citaristi, il cassiere della Dc.*

*Di Pietro: «E quindi è andato da Sama... e Sama?»*

*Citaristi: «Mi ha dato una valigetta. Dicendo: "C'è un contributo per la Democrazia cristiana"».*

*Forlani, ora.*

*«Penso che il Citaristi non... non ricordi bene» e tutta l'aula del tribunale comincia a rumoreggiare.*

11 miliardi al Psi, 8 miliardi alla Dc, soldi a singoli esponenti politici. Il Parlamento si scioglie e si arriva alle elezioni anticipate del '94.

L'elenco degli uomini politici coinvolti nel processo Enimont che si tiene a Milano dal 5 luglio del '94 al 27 ottobre del '95 è impressionante. Molti di questi vengono condannati da sentenze passate in giudicato. Bettino Craxi, ex segretario del Partito socialista, 3 anni, in appello. Claudio Martelli, onorevole del Psi, 8 mesi. Arnaldo Forlani, ex segretario della Democrazia cristiana, 2 anni e 4 mesi. Severino Citaristi, segretario amministrativo della Dc, 3 anni.

Tra gli imprenditori ci sono Sergio Cusani, 5 anni e 10 mesi, Carlo Sama, 3 anni, e Giuseppe Garofano, anche lui 3 anni.

E Gardini?

Gardini è morto.

Torniamo a Castellari, a quel 18 febbraio.

A mezzogiorno Sergio Castellari arriva a Formello e si ferma al ristorante «Il Castagneto». È troppo presto per mangiare, ma Castellari non vuole mangiare, non subito. Prima deve scrivere delle lettere.

Intanto l'avvocato Di Maio ha incontrato il sostituto procuratore Savia.

*«Quella mattina mi recai a parlare con Savia, seppi che Castellari non sarebbe piú stato arrestato perché la richiesta era stata respinta, quindi fissammo tranquillamente un appuntamento alle tre e mezza come interrogatorio. Però all'una Castellari non si presentò all'appuntamento, in quanto comunicò al mio studio che non ne voleva sapere piú niente perché aveva saputo che quell'ordine di arresto di Savia avrebbe fatto il suo corso. Cioè sarebbe stato arrestato. Cioè una notizia falsa».*

Colpo di scena: la tesi della difesa ha prevalso, convincendo il giudice per le indagini preliminari.

Castellari non sarà arrestato, niente tintinnare di manette, potrà restare fuori per difendersi, ma Castellari non si presenta. Non va all'appuntamento e cosí non sa nulla.

È ancora convinto, come forse gli hanno detto, che sarà arrestato.

Dov'è a quell'ora, mentre l'avvocato lo aspetta davanti alla procura? È al ristorante «Il Castagneto» a scrivere lettere ed è ancora lí che scrive alle 14.00, quando apparecchiano per mangiare.

Lettere.

Come Gardini.

Il 16 luglio, tre giorni dopo l'arresto di Garofano, Raul Gardini aveva scritto una lettera di 39 righe ai sostituti procuratori Di Pietro e Greco con la quale si dichiarava disposto «a portare a loro conoscenza la mia piú ampia e illimitata disponibilità a ragguagliare le S.V. illustrissime su tutti i fatti che saranno ritenuti per Loro di interesse».

È disposto a parlare. E di cose da dire ne dovrebbe avere parecchie.

Il 23 luglio avrebbe dovuto essere interrogato.

La mattina di quel giorno, alle 8.30, il suo avvocato chiama Gardini al telefono. Vuole parlargli perché la sera prima lo ha trovato preoccupato, timoroso di essere arrestato da un momento all'altro. Il maggiordomo va in camera a svegliarlo ma lo trova riverso sul letto in un lago di sangue che macchia il lenzuolo e l'accappatoio bianco che indossa. In testa due buchi, uno d'entrata e uno d'uscita, sparati con una piccola automatica Walter Ppk che viene trovata lí vicino.

Un suicidio, cosí stabilisce l'inchiesta, anche se come accade in casi come questi, qualche dubbio rimane. Per esempio perché nessuno nel palazzo sentí lo sparo, quella mattina? Perché la pistola venne trovata sul piano di un mobile, lontana dal corpo di Gardini? Perché non c'erano tracce di polvere da sparo sul cuscino?

Sono elementi sospetti ma che possono essere spiegati anche da una complessa dinamica suicidaria, come hanno ritenuto gli inquirenti, che hanno archiviato la morte di Gardini come un suicidio. Ma erano sospetti legittimi, anche alla luce di un'inchiesta della procura della Repubblica di Palermo che ipotizza che alcune delle società legate al gruppo amministrato da Gardini siano servite alla Mafia per il «reinvestimento di ingenti capitali e la gestione diretta o indiretta di importanti affari».

E poi, quello di Raul Gardini non è l'unico suicidio.

All'appello dei processi per tangenti manca un altro protagonista, Gabriele Cagliari, ex presidente dell'Eni, che si uccide tre giorni prima di Gardini in una cella di San Vittore, a Milano, infilando la testa in un sacchetto di plastica. Un suicidio, anche questo, che comunque conserva qualche aspetto misterioso.

Come quello di Castellari.

Dov'è, in questo momento, Castellari?

Sono le 15.00 di quel 18 febbraio e Castellari ha appena pranzato con tortelli di zucca, cicoria di campo cruda, acqua, due caffè. Esce dal ristorante e sale sulla sua auto, come racconta un testimone del luogo. Probabilmente è adesso che imbuca alcune delle lettere che ha scritto, perché quattro hanno sulla busta il timbro postale di Formello.

Fa anche qualcos'altro, Sergio Castellari, qualcosa di strano. Prende altre quattro buste, in cui ci sono le copie delle lettere appena spedite, e le va a consegnare alla moglie del suo amico Silvio. Le lascia anche un messaggio: Silvio le consegni solo dopo le 19.00, non prima, e che le consegni a mano.

A chi? A un giornalista dell'«Espresso», alla rivista «Il Mondo», alla ex moglie e ai figli, al fratello Alberto, la madre e la cognata. Queste ultime due sembrano proprio l'addio di un suicida.

«Caro Giovanni, mi dispiace tanto di darti questo dolore, ma devo difendere la dignità, la tua, di Mario e di mamma. Bisogna rispettare i valori assoluti e non piegarsi alle cose ingiuste».

Ore 15 e 30.

L'avvocato Di Maio e il sostituto procuratore Savia aspettano Sergio Castellari in procura, ma Castellari non si presenta. Non c'è. Dov'è?

Alle 17.00 Castellari si avvia a bordo della sua auto verso una zona boscosa. È lí che lo vede fermarsi un uomo che lavora in un campo, e lo vede ancora lí quando si allontana, poco dopo.

Castellari esce dall'auto e si addentra nella zona boscosa fino ad arrivare su una collinetta. Qui si ferma e beve almeno un quarto della bottiglia di whisky che si è portato dietro.

Poi si spara.

Suicidio.

Il sostituto procuratore Savia dichiara: «Sono amareggiato per quello che è successo. Ho fatto il mio dovere di pubblico ministero». Un pubblico ministero ostinato e deciso, ma anche zelante e scrupoloso nel condurre la sua inchiesta.

Attenzione, però. Perché anche qui, come nei romanzi gialli, c'è un colpo di scena.

*Il repertorio mostra gli agenti della polizia che portano via il sostituto procuratore Savia, in manette.*

*Lo speaker, sopra le immagini: «Una gola profonda minaccia l'inchiesta dei magistrati di Perugia sulla fase due della maxi tangente Enimont...»*

Il 30 maggio 1997 la procura della Repubblica di Perugia arresta il sostituto procuratore Savia, assieme al costruttore Domenico Bonifaci e al commercialista Sergio Melpignano.

Il 31 ottobre 1997 verranno rimessi in libertà. L'accusa per Savia è di corruzione in atti giudiziari, appropriazione indebita, false comunicazioni sociali e reati fiscali. Secondo la procura di Perugia, assieme ad altri, Orazio Savia avrebbe ricevuto soldi, benefici e favori per sottrarre al pool di Milano l'inchiesta sulla tangente Enimont, portarla a Roma e farle avere una conclusione favorevole agli indagati. L'arresto di Castellari e altri atti sarebbero serviti a convincere il procuratore Mele che c'erano buoni sviluppi anche lí, e a tenere l'inchiesta a Roma.

Ma questa è l'ipotesi della procura di Perugia.

Il 6 luglio del 2000, il giudice per l'udienza preliminare presso il tribunale di Perugia, su richiesta delle parti, ha applicato la pena di un anno e 4 mesi a Orazio Savia, un anno e 6 mesi a Sergio Melpignano, e un anno e un mese a Domenico Bonifaci, per concorso in corruzione in atti giudiziari del pubblico ministero Orazio Savia. E concede, avendo applicato la procedura nota come patteggiamento, il beneficio della sospensione condizionale della pena e la non menzione della condanna, a Orazio Savia e Sergio Melpignano, e la sospensione della pena a Domenico Bonifacio.

Per Sergio Castellari, comunque, suicidio.

Il suicidio di un uomo disperato che aveva paura di finire in carcere, colpevole o innocente che fosse.

Ma è vero? C'è qualcuno che la pensa diversamente. Ci sono tutti quei particolari strani, il sigaro, la bottiglia, la pistola...

L'ingegner Manlio Averna, esperto balistico, ha una sua idea su quella pistola. Ha fatto una perizia.

*L'ingegner Averna è un perito balistico che si è occupato del caso per la famiglia Castellari. Ha davanti le fotografie del corpo di Castellari e tiene in mano una pistola identica.*

*Dice: «Osserviamo preliminarmente che nelle fotografie il cane della pistola ritrovata su Castellari è armato. Se adesso facciamo riferimento al funzionamento dell'arma ci accorgiamo che il cane rimane abbattuto, non è un'arma semiautomatica in cui il cane viene riarmato automaticamente. Quindi il cane va giú, pertanto riportarlo su necessita di un movimento volontario. Inoltre la fotografia, scattata nell'immediatezza, mostra il tamburo dell'arma. Osserviamo una camera vuota e nella camera un alone che denuncia la presenza di un bossolo di una quinta cartuccia. Poi osserviamo un bossolo sparato e tre cartucce integre».*

Cosa significa? Perché manca quel bossolo?

Sergio Castellari spara due volte. Nel tamburo mancano due proiettili. Sergio Castellari, però, in testa ne ha uno solo. L'unico modo per non far insospettire la polizia è portare via uno dei due bossoli sparati e lasciare la camera vuota, come se tenesse la pistola in sicura, in modo che il cane, battendo prima su una camera vuota, non potesse esplodere un colpo per sbaglio.

È un'ipotesi possibile. Ma che non convince la polizia, che resta certa del suicidio.

*Il dottor Alberto Intini dirigeva la sezione omicidi della Squadra mobile di Roma.*

*Dice: «È suicidio perché tutte le indagini svolte, oltre gli accertamenti tecnici medico-legali hanno portato alla soluzione suicidaria. Nessun elemento ha evidenziato una responsabilità di terzi».*

*Dice: «Questa camera vuota significa soltanto che nel tamburo invece di cinque proiettili ce n'erano quattro. La posizione di questa camera vuota è corretta in relazione al colpo sparato, perché il bossolo con la percussione sul fondello si trova correttamente a sinistra in senso antiorario».*

*Dice: «Il cane alzato è una situazione che significa un'azione successiva al colpo sparato, indubbiamente, perché non è il revolver un'arma semiautomatica. Però come in altri casi può essersi verificata una contrazione nell'ultimo istante prima della morte che ha portato alla sollevazione del cane».*

*Dice: «È stata rilevata una traccia di Dna di persona di sesso femminile. Sono giustificabili con un inquinamento ambientale... il sigaro può esser stato toccato, maneggiato».*

Omicidio o suicidio che sia, c'è confusione anche sul movente.

La tangente Enimont. O qualcos'altro? Dopo la morte di Castellari emergono anche altre ipotesi. Un funzionario delle Partecipazioni statali dichiara che dietro la morte del direttore c'è un traffico di armi e petrolio con l'Iran e l'Iraq e grosse tangenti date a partiti politici. Per l'avvocato Carlo Palermo c'entra una fornitura di elicotteri dell'Agusta al Belgio, un affare che dice sia costato la vita anche a un Primo ministro belga e a un generale. Al «Messaggero» arriva anche un documento del Sisde, che si rivela subito un clamoroso falso, che mette in relazione Sergio Castellari con un complotto politico-economico che unisce Dc, Pci e Pds. Ipotesi, fantasie, veri e propri depistaggi.

Il dottor Rodolfo Ronconi, all'epoca capo della Squadra mobile di Roma, ha un'idea precisa su tutto questo.

*Il dottor Ronconi.*

*Dice: «Le dico con tutta franchezza che se l'attività dell'investigatore dovesse prendere spunto o dovesse seguire quella o questa teoria, allontanandosi da quelli che sono gli elementi oggettivi d'indagine, ci sarebbero poche probabilità di soluzione di qualsiasi caso. L'attività dell'investigatore non è fatta di gialli. L'investigatore deve limitarsi alla raccolta di elementi oggettivi senza preconcetti».*

È vero, traffici internazionali di armi, spionaggio industriale, servizi segreti... La nostra storia sta diventando un romanzo di John Le Carré e questo rischia di portarci fuori strada.

Restiamo ai fatti. Sergio Castellari non si presenta all'interrogatorio nel quale crede che sarà arrestato dal sostituto procuratore Savia. È un uomo spaventato e disperato che pensa di finire in galera perché un magistrato corrotto vuole farne un capro espiatorio per insabbiare un'inchiesta piú grande o perché un magistrato zelante vuole procedere «alla milanese».

In ogni caso ha paura. E allora cosa fa?

Sale su quella collina vicino Roma, da cui il panorama arriva fino alla sua villa. Ha con sé una bottiglia di whisky, da cui beve per farsi coraggio. Ha con sé anche una pistola, di cui fa ruotare il cane per armare un colpo da mettere in canna. Le lettere, con il suo testamento spirituale e i saluti, le ha già consegnate, per cui non gli resta altro da fare.

Si appoggia la pistola alla testa e si spara.

Un colpo solo, che lo uccide quasi istantaneamente, permettendogli appena una contrazione del dito che alza il cane, senza abbatterlo. La pistola gli cade sulla pancia, appoggiandosi alla cintura. Può essere. E la bottiglia senza impronte? Forse arriva qualcuno, che la tocca, poi si accorge dell'errore, la pulisce e magari corre a chiamare aiuto.

Può essere. Oppure?

Oppure Sergio Castellari è spaventato e disperato ma non è cosí rassegnato. Nei suoi incontri della mattina ha ricevuto l'impressione di essere sul punto di finire in galera ma ha comunicato anche quella di non restare zitto. Di avere cose da dire e di sapere come difendersi. Forse su quella collinetta ci va per un appuntamento con qualcuno. Qualcuno che teme, perché si porta dietro una pistola con cui difendersi.

La discussione non va come Castellari spera. Questo qualcuno lo aggredisce, parte un colpo, Castellari viene disarmato e ucciso con la sua pistola. A questo punto mancano due proiettili nel tamburo, cosí uno viene tolto, per simulare il meccanismo di sicura della camera vuota.

Ipotesi da romanzo giallo, per una realtà che quando tratta di soldi, tanti soldi, spesso tratta anche di morti.

Una realtà che è sempre piú incredibile del piú incredibile romanzo giallo.

## La banda della Uno bianca
*Bologna, 2 maggio 1991*

Questa è la storia piú incredibile che abbiate mai sentito raccontare.

Neanche la fantasia del piú geniale scrittore di romanzi gialli sarebbe riuscita a inventare una trama cosí piena di colpi di scena, cosí inquietante e cosí misteriosa. Se fossero inventati, i protagonisti negativi di questa storia, sospesi tra una ferocia diabolica e una banalità sconcertante, sarebbero il sogno di un grande scrittore. E invece sono reali, non li hanno immaginati Ed McBain o James Ellroy e neppure Loriano Macchiavelli, ci sono davvero, come ci sono stati davvero i morti e i feriti, gli investigatori e tutti gli altri protagonisti di questa storia.

L'incredibile storia della Uno bianca.

Un bravo scrittore di romanzi gialli, per ambientare una storia feroce come questa, sceglierebbe uno sfondo che faccia contrasto, una città tranquilla, neanche tanto grande, una bella città ricordata a torto a ragione per essere un'*isola felice*.

Bologna.

Ecco, la nostra storia comincia lí.

2 maggio 1991.

Sono le dieci e mezza del mattino e siamo in via Volturno, una traversa di via Indipendenza, in pieno centro. A pochi passi, dietro l'angolo, c'è uno dei migliori ristoranti della città e poco piú in su ci sono piazza Maggiore, la statua del Nettuno, San Petronio. Una tipica cartolina di Bologna.

In fondo a via Volturno, c'è un'armeria piuttosto fornita. Lí va un cliente per cambiare una pistola e lí dentro, assieme a Licia Ansaloni, la titolare del negozio, c'è un uomo alto che sta azionando il carrello di una pistola, una Beretta 92F, come se volesse provarlo. La signora Ansaloni lo riprende, anche.

«Se compra l'arma può fare quello che vuole, altrimenti la lasci stare se no si rovina».

«Ah, perché si rovina?» risponde l'uomo alto.

Il cliente che è andato a cambiare la pistola deve pagare il bollo per il porto d'armi ma non ha soldi spiccioli, cosí si fa cambiare un assegno dalla signora Ansaloni ed esce per andare alle poste.

Uscendo vede arrivare un altro uomo, un uomo basso.

Pagato il bollo alle poste, il cliente torna ma trova il negozio chiuso, con la saracinesca abbassata. Dentro, però, ci sono le luci accese, cosí il cliente chiede aiuto a un negoziante vicino e assieme a lui passa dal retro per entrare nell'armeria. E vede un massacro.

A terra, dietro il bancone, ci sono Licia Ansaloni e Pietro Capolungo, un carabiniere in pensione che lavora con lei nel negozio.

Sono morti, tutti e due.

È successo qualcosa nell'armeria, mentre il cliente era fuori. È successo che l'uomo alto si è fatto mostrare un'altra pistola, una Beretta 92 modello Target, mentre quello basso ha chiesto altre cose. Intanto è arrivato Pietro Capolungo, il commesso, e allora i due hanno agito, rapidamente. L'uomo lungo inserisce nella pistola che stava guardando un caricatore pieno che aveva con sé, quello corto tira fuori una 357 magnum.

L'uomo lungo spara a Pietro Capolungo, poi si sporge oltre il bancone e lo finisce con un colpo di grazia alla testa. Poi tocca alla signora Ansaloni. L'uomo lungo gira attorno al bancone e le spara in faccia e quando è a terra le spara ancora, da vicino. Quando se ne vanno, chiudendo la saracinesca, si portano via due armi, le due Beretta che stavano guardando.

Due morti, uccisi cosí, in pieno giorno e in pieno centro, a Bologna. È una notizia che colpisce tutta la città, ma ancora di piú la colpiscono le voci che si spargono subito dopo. Voci che fanno paura.

Vuoi vedere che sono quelli della Uno bianca?

Quelli della Uno bianca.

Sono successe altre cose, a Bologna, e per tutte si è parlato di questo fantomatico gruppo che arriva, uccide, poi scompare a bordo di una piccola utilitaria, di solito una Uno bianca. Come i fantasmi, gli spettri a cavallo degli incubi medioevali.

La banda della Uno bianca aveva fatto altre cose, a Bologna.

Cose incredibili.

27 dicembre 1990, ore 17.15.

Una Uno bianca entra in un'area di servizio di Castel Maggiore, appena fuori Bologna. Da questa scendono due uomini, uno alto, che minaccia il gestore del distributore con una pistola, e uno piú basso, che si apposta dietro l'auto con un fucile mitragliatore, minacciando i clienti.

L'uomo alto va nell'ufficio assieme al gestore e si fa consegnare i soldi, poi, invece di andarsene, gli chiede di andare con lui nell'officina. Il gestore si spaventa, ha paura che vogliano portarlo in un luogo nascosto per ucciderlo e scappa.

A questo punto l'uomo piú basso comincia a sparare, in fretta e con una precisione micidiale. Colpisce il gestore e colpisce un cliente, Luigi Pasqui, che sta aspettando il suo turno all'autolavaggio e che cade assieme al fratello del gestore. Quando la Uno bianca se ne va, con calma, lascia sull'asfalto dell'area di servizio due feriti e un morto, l'uomo dell'autolavaggio.

Non è finita. Sarebbe già abbastanza cosí, ma non è finita.

La Uno bianca si ferma a Trebbo di Reno, un altro paese nei dintorni di Bologna. Lí i banditi hanno preparato un'auto pulita, con cui fare il cambio e fuggire indisturbati dalle ricerche che nel frattempo sono iniziate. Lasciano gli sportelli aperti ed è questo particolare a colpire un uomo, Paride Pedini, che sta uscendo di casa. Vede l'auto cosí, aperta, col sedile rovesciato, e si avvicina per guardare cos'è successo, poi torna alla sua macchina. In quel momento arrivano i banditi che hanno fatto inversione per uscire dalla strada. Potrebbero andarsene e invece si fermano. Sotto gli occhi della moglie che sta guardando dalla finestra, l'uomo lungo esce dall'auto e spara a Pedini. Poi, quando è a terra, si avvicina, flette leggermente le gambe e gli spara in testa il colpo di grazia.

Bottino della rapina: un milione.

Due omicidi, due morti, per rapinare un benzinaio e portarsi via un milione. Come è possibile? A Bologna? A New York, forse, nel Bronx, non a Bologna.

Ma non è tutto. Poco prima c'era stata un'altra cosa.

23 dicembre 1990. Ore 8.20.

Nel quartiere Navile, a Bologna, c'è un campo nomadi. Ci sono soprattutto giostrai sinti ma anche molti rom slavi che vengono dal Kosovo. Duecentocinquanta persone.

C'è una Uno bianca che sta attraversando lentamente il campo. Arriva al sottopassaggio della ferrovia, poi torna indietro e si ferma in mezzo alle roulotte. Dall'auto esce un uomo col volto coperto che imbraccia un fucile d'assalto, un AR70, un mitragliatore calibro 222. L'uomo prende la mira, con precisione, e comincia a sparare. Distrugge cinque roulotte e ferisce nove persone, ma spara per uccidere, mirando alla gente e mirando alla testa, e infatti uccide. Uccide un uomo, Rodolfo Bellinati, che stava caricando rottami su un Apecar, e uccide Patrizia Della Santina, colpendola attraverso il finestrino della roulotte.

Due morti e due feriti. Bottino: niente, è un campo nomadi, cosa ci può essere? Allora è un episodio di razzismo, come ce n'erano già stati. Bombe molotov contro gli alloggi degli extracomunitari, cose già accadute, cose che non sono da Bologna ma che succedono anche qui.

Invece no, non c'è soltanto il razzismo.

*Nel filmato di repertorio è Romano Zanarini a dare la notizia, dagli studi del Tg3 di Bologna.*

*«Ieri sera, pochi minuti prima delle 22.00, un vero e proprio commando ha assalito la pattuglia dei giovani militari che stavano perlustrando le vie del quartiere Pilastro...» mentre le immagini sotto le parole mostrano un'auto dei carabinieri crivellata di colpi, sedili sollevati, sporchi di sangue. Un braccio spunta da sotto un lenzuolo gettato sull'asfalto che ha i lembi inferiori completamente, ma completamente davvero, intrisi di sangue rosso.*

4 gennaio 1991. Ore 22.00.

C'è una pattuglia dei carabinieri che sta percorrendo una strada del Pilastro, uno dei quartieri periferici di Bologna. I carabinieri sono tre, si chiamano Otello Stefanini,

Mauro Mitilini e Andrea Moneta, e sono tutti sui vent'anni. Sono lí perché al Pilastro c'è una vecchia scuola che ospita alcuni extracomunitari e pochi mesi prima qualcuno ha cercato di darle fuoco con delle taniche di benzina. Nel loro giro di pattuglia i carabinieri incontrano anche i poliziotti di una volante e scambiano qualche parola. Tutto tranquillo, tutto a posto, niente da segnalare.

I carabinieri si allontanano e proseguono il giro.

Tutto tranquillo, tutto a posto, e invece no. All'improvviso scoppia l'inferno. Dalla fiancata sinistra arrivano dei colpi che feriscono Otello Stefanini, che sta alla guida dell'auto. Il carabiniere cerca di allontanarsi ma non ce la fa e va a sbattere contro un gruppo di cassonetti. Da dietro, intanto, due uomini sono scesi dalla Uno bianca e si stanno avvicinando, sparando. È un volume di fuoco impressionante, da guerra, una trentina di colpi in pochissimi secondi. Mitilini e Moneta riescono soltanto a uscire dall'auto e a reagire sparando anche loro, ferendo uno dei banditi, poi vengono investiti da una pioggia di 222 Remington, piccolissimi, micidiali proiettili ad alta velocità che devastano tutto ciò che colpiscono.

È un massacro. Un massacro voluto.

Prima di andarsene uno dei banditi si avvicina alla macchina dei carabinieri per controllare che siano tutti morti. Poi entra nell'abitacolo e porta via l'ordine di servizio, il foglio in cui vengono segnate tutte le persone identificate.

Poco lontano, i banditi abbandonano l'auto, la Uno bianca. La annaffiano con la benzina che avevano in una tanica e le dànno fuoco.

Tre carabinieri morti, giovanissimi.

Una strage.

*Il fratello di Mauro Mitilini. È un carabiniere anche lui. Dice: «Mio fratello Mauro era una persona molto semplice. Si era arruolato nei carabinieri nel '90, aveva vinto il concorso ed era stato molto entusiasta. Subito dopo è stato mandato a Bologna e anche quello è stato un momento felice per lui, perché aveva sempre ammirato quella città».*

Mauro Mitilini era contento di essere a Bologna.

Ma la Bologna della Uno bianca non è la città che ci si immagina di solito. Il 20 aprile del 1988, per esempio, erano stati uccisi altri due carabinieri.

*Qui il repertorio mostra due foto da carabinieri, di quelle tipiche, quasi da tessera. Bianco e nero, primo piano o mezzo busto, con la divisa e il berretto in testa. E sotto, due volti giovani, puliti e meridionali, da carabinieri.*

*La voce dello speaker del telegiornale dice: «Cataldo Stasi, 22 anni, da Ruvo di Puglia, e Umberto Erriu, 24 anni, da Orgosolo sono stati investiti da una gragnuola di colpi precisissimi, quasi tutti a segno e quasi tutti mortali...»*

Cataldo Stasi e Umberto Erriu sono di pattuglia attorno alla Coop di Castel Maggiore, quando notano tre persone in atteggiamento sospetto, dentro una Uno bianca. Si avvicinano e quasi non fanno in tempo a scendere per controllare che vengono investiti da una scarica di proiettili. Muoiono tutti e due.

Carabinieri uccisi, extracomunitari, rom, benzinai, testimoni. A Bologna non era mai successo, non cosí, non come sta accadendo da un po' di anni. A Bologna, per esempio, non era mai successo quello che è accaduto a Primo Zecchi.

*La signora Rosanna Zecchi, moglie del signor Primo.*

*Dice: «È stata una sera, il 6 ottobre del '90. Ritornavamo dalla gita aziendale di mia figlia e verso le sei e mezza abbiamo telefonato a mio marito dicendo che stavamo arrivando e se ci veniva a prendere. Era presto, ma siccome è un tipo molto puntuale è arrivato prima e si è messo a sentire la musica in macchina, quando ha visto una macchina con due uomini arrivare dall'altra parte della strada, e a quel punto ha visto che si incappucciavano e ha capito che erano dei rapinatori. Ma loro non l'avevano visto. Mio marito ha sentito lo sparo e ha visto ferire il tabaccaio, e allora è sceso dalla macchina e ha cominciato a urlare a un signore alla finestra: chiamate il 113 che intanto prendo il numero di targa. E l'altro dalla finestra continuava a dire: scappi, scappi, perché stanno tornando indietro. I banditi erano già saliti in macchina ma uno l'ha visto. Ha preso la rivoltella che aveva già appoggiato sul cruscotto, ha preso mio marito che ha cercato di scappare e gli ha sparato tre colpi in testa. Dopo mezz'ora siamo arrivate noi, io e mia figlia, e abbiamo visto un lenzuolo steso per terra. Mia figlia ha detto non c'è papà a prenderci, non sarà successo qualcosa, perché c'era la polizia, e io ma vedrai che sarà lí che guarda. Mai piú avrei pensato che fosse mio marito. Poi è successo quello che è successo, gli hanno dato anche la medaglia d'oro al valor civile perché secondo loro ha fatto un atto eroico. Ma mio marito era cosí».*

Non voleva essere un eroe, Primo Zecchi, era un bolognese tranquillo, che quando vede una rapina urla «chiamate la polizia», perché ci sono le guardie, i ladri e i cittadini e non ci si aspetta che in una città come Bologna il ladro torni indietro e ti uccida in quel modo.

È un brutto risveglio per Bologna in quei tempi.

Un risveglio che sta durando da tanto, perché sono già

alcuni anni che succedono certe cose, ma è un risveglio brutto per una città che credeva di essere un'isola felice e invece si ritrova a essere lo sfondo perfetto per un romanzo giallo, meglio di New York, meglio del Bronx.

E non è finita qui.

L'avventura della Uno bianca, il terrore della macchina fantasma, dura quasi dieci anni, fino al 3 novembre 1994.

La sua conclusione, se è possibile, è ancora piú incredibile del suo inizio.

La procura di Bologna, la Squadra mobile, il Nucleo operativo dei carabinieri, si impegnano tutti in una serie di indagini che spaziano a 360 gradi. Le piste che si presentano in quegli anni sono tantissime, diverse e anche contraddittorie.

Per il duplice omicidio della Coop, la morte dei carabinieri Stasi ed Erriu, vengono indagati alcuni malavitosi bolognesi che sembrano legati alla criminalità organizzata.

Per la strage del Pilastro c'è una pista, ci sono alcuni riscontri e c'è la testimonianza di una ragazza che abita da quelle parti e dice di aver riconosciuto alcune persone. Vengono arrestati due giovani che abitano al Pilastro, William e Peter Santagata, Massimiliano Motta e anche Marco Medda, un camorrista già in carcere per altri reati, che ha una ferita a un piede. Per la procura di Bologna sono loro ad aver ucciso i tre carabinieri, che li avevano sorpresi durante uno scambio d'armi.

I carabinieri seguono un'altra pista. Indagano su un ex carabiniere paracadutista che si è dato alle rapine, Damiano Bechis, e che in seguito verrà ucciso dalla polizia durante un colpo a una gioielleria. Dal Sisde, il servizio segreto, arriva invece una segnalazione che attribuisce la strage del Pilastro a un gruppo composto da sei nomadi stranieri.

C'è una sigla terroristica, la Falange armata, che rivendica telefonicamente attentati e omicidi in tutta Italia. Lo fa anche per molti di quelli della Uno bianca, minacciando direttamente i giornalisti che si occupano del caso.

*La voce originale che si trova in repertorio ha un falso accento tedesco, da caricatura, con le doppie ripetute e le erre arrotatissime.*

*«Vorremmo che questo avvertimento avesse anche la funzione di indebolire certe sue assurde convinzioni. Non scherzi. Sono cose troppo grosse per lei, quando molto pericolose per la sua stessa incolumità fisica».*

Ancora.

Il modo di colpire della Uno bianca, la tecnica precisa, per esempio, che usano per inchiodare le auto con un grosso calibro e poi ucciderne gli occupanti con un fucile di precisione mentre un terzo uomo fa da copertura con un altro fucile, è una tecnica da professionisti, da squadre d'assalto. Ma soprattutto è la tecnica usata da un'altra banda, la Brabante-Vallone, in Belgio, che come quelli della Uno bianca colpisce soprattutto i supermercati. Quando verranno scoperti, quelli della Brabante, risulteranno terroristi appartenenti a una struttura Nato equivalente a quella italiana di Gladio.

Ma quando colpiscono le banche, quelli della Uno bianca sembrano davvero dei professionisti, ma del crimine, dei rapinatori di grande esperienza e molto organizzati.

Terroristi, nomadi stranieri, ex appartenenti alle forze dell'ordine passati dall'altra parte, servizi segreti, criminalità organizzata, malavita comune. Le piste per la Uno bianca macinano anni di indagini, sfornano teorie, bruciano perizie, arrivano anche a processi e a condanne, ma senza far cessare i delitti, senza eliminare da Bologna e da tutta l'Emilia Romagna il terrore della Uno bianca.

Fino al 3 novembre del 1994.

Quel giorno succede qualcosa.

Il raggio d'azione della Uno bianca non comprende soltanto Bologna.

La banda ha colpito praticamente in tutta l'Emilia Romagna, soprattutto a Bologna ma anche a Rimini e Cesena, e molto duramente. Lí, per esempio, il 3 ottobre del 1987 ha aperto il fuoco su un'auto civetta uccidendo un poliziotto, il sovrintendente Mosca. A Rimini ha sparato contro un bar frequentato da extracomunitari, uccidendone uno. Poi ha sparato ancora contro un'auto con tre senegalesi a bordo, uccidendone due.

Non solo, nel fuggire la Uno bianca ha tagliato la strada a due ragazzi in auto, che si sono sporti dal finestrino e l'hanno mandata a quel paese. La Uno bianca si è fermata, è tornata indietro, e ha inseguito i ragazzi fino all'abitato, sparandogli dietro e ferendone uno.

A Rimini c'è un giovane magistrato, molto bravo e molto deciso, che si chiama Roberto Paci. Il dottor Paci eredita il fascicolo della Uno bianca dal magistrato che è andato in pensione e comincia a lavorarci sopra. La prima cosa che fa è costituire un pool di investigatori per concentrare le indagini.

*Il commissario Oreste Capocasa adesso dirige il commissariato di Cesena.*

*Dice: «Nacque nel gennaio del 1994 su richiesta del dottor Paci, e in questa circostanza vennero assegnati a questo pool polizia di Stato e carabinieri, per rivedere assieme tutto il mate-*

*riale che era stato attribuito alla Uno bianca. Quindi rivisitare tutti quanti gli atti alla luce dei nuovi dati che erano emersi».*

Il dottor Paci conduce le indagini in prima persona. Il pool si riunisce ogni tre o quattro giorni e tutti comunicano quello che hanno scoperto e le nuove idee che hanno avuto.

C'è anche un colpo di fortuna: il 21 marzo del '94, durante una rapina in banca a Cesena, la telecamera a circuito chiuso riprende parte del volto di un rapinatore mascherato, un uomo alto. È la prima volta, a parte qualche identikit, che quelli della Uno bianca hanno una faccia, anche se mascherata.

Poi il pool si scioglie e tutto passa a Roma.

Ma ci sono due investigatori che non ci stanno. Sono l'ispettore Luciano Baglioni e il sovrintendente Pietro Costanza. Non se la sentono di buttare via tutto quel lavoro, proprio in quel momento, e chiedono il permesso di continuare il lavoro. Anche il dottor Paci non se la sente di buttare via tutto, e ci sta.

*Luciano Baglioni e Pietro Costanza non sembrano poliziotti da film. Anche in divisa da poliziotti sembrano le persone piú tranquille del mondo. Parlano con calma, con un vago accento meridionale uno e un forte accento riminese l'altro, ma raccontano una storia non da persone tranquille, ma da poliziotti da film.*

*Baglioni: «Soprattutto la nostra attenzione veniva rivolta, anche allora, a ex appartenenti alle forze dell'ordine, perché il nostro ragionamento era che questa banda non appartenesse alla delinquenza comune e neanche alla criminalità organizzata. Perché fino a quel momento non avevamo mai avuto indicazioni da nessuno, mai nessuna informazione, mai nessuna voce dai nostri confidenti. Non avevamo avuto informazioni da nessuno».*

Le intuizioni di Baglioni e Costanza sono semplici e concrete. Se nessuno ne ha parlato, neanche una soffiata, forse non fanno parte della malavita. Se sono cosí bravi e cosí informati forse sono ex appartenenti alle forze dell'ordine. C'è anche un'altra intuizione, che dà una svolta alle indagini.

*Il sovrintendente Costanza. Quello con l'accento riminese. Dice: «La cosa strana era: come fanno questi a sapere tutto di una banca prima di colpire, sapere chi è il direttore, sapere che macchina ha, addirittura la donna delle pulizie... questo ci ha fatto pensare che facessero dei sopralluoghi e quindi stessero molto fuori dalle banche».*

L'idea è semplice: fare come loro.

Baglioni e Costanza individuano una serie di banche che per le loro caratteristiche potrebbero essere i prossimi obiettivi della banda. Le studiano e le selezionano, riducendone il numero. Poi si appostano davanti, a rotazione, con la loro Y10 verde, tutti i giorni, senza mollare mai, cercando di notare tutti quelli che fanno cose strane, che passano e ripassano, che fanno sopralluoghi come li stanno facendo loro in quel momento.

3 novembre 1994.

Baglioni e Costanza sono in appostamento davanti a una banca di Santa Giustina, una frazione di Rimini con poco piú di mille abitanti, quando notano qualcosa di strano.

*L'ispettore Baglioni:*
*Dice: «Avevamo notato un'autovettura che aveva fatto*

*movimenti strani davanti alla banca. Magari per un cittadino normale non aveva fatto niente di strano, ma a noi aveva colpito. Anche il fatto che la targa non fosse leggibile perché sporcata di terra, ci aveva dato sospetto. Come abbiamo fatto in altri pedinamenti, abbiamo seguito anche quella vettura. In un primo tempo, sinceramente, solo per prendere la targa. Però, poi, seguendola, seguendo l'uomo che stava alla guida, abbiamo visto che si addentrava nell'entroterra riminese. Siamo riusciti a seguirlo fino a Torriana e abbiamo individuato l'appartamento in cui viveva. Siamo andati all'anagrafe per vedere chi viveva in quell'appartamento e abbiamo trovato il nome di Savi Fabio».*

Savi Fabio.

È lui uno dei banditi della Uno bianca? Baglioni e Costanza non hanno il tempo di domandarselo. Mentre stanno chiedendo informazioni a un barista lo vedono entrare nel bar. Quando escono e tornano in macchina lo vedono passare accanto a loro.

È un caso? Torriana è piccola, se uno si muove lo incontri sempre, oppure no, si è accorto di loro e li sta seguendo? Baglioni e Costanza sono due poliziotti della Squadra mobile, saprebbero cosa fare, ma è meglio stare attenti perché se fosse vero, se quell'uomo alto fosse della Uno bianca, sarebbe tutto molto pericoloso.

Se fosse della Uno bianca... ma lo è?

Baglioni e Costanza corrono a Rimini, al commissariato, a confrontare la foto dell'uomo con l'immagine ripresa dalla telecamera interna della banca di Cesena.

Sí, è lui.

Savi Fabio è l'uomo alto.

È uno dei banditi della Uno bianca.

Fabio Savi ha 34 anni, è residente proprio lí, a Torriana, e fa il carrozziere. Fabio Savi ha un fratello che si chiama Roberto e che non è un ex appartenente alle forze dell'ordine.

È un poliziotto in servizio, lavora al 113 della questura di Bologna.

Un poliziotto in servizio, di Bologna. La prima verifica è sugli orari di Roberto. Quando la Uno bianca colpisce, lui non è mai in servizio.

È il primo riscontro.

Scattano le manette.

*Il repertorio mostra Fabio Savi con le manette ai polsi, circondato dagli agenti della Squadra mobile. Un poliziotto gli tiene aperta la portiera dell'auto, mentre lui si piega di lato per entrare. Ha un volto magro, la fronte stempiata e due basette sottili che gli scendono dritte ai lati della faccia. Sembra anche lui una persona normale, ma c'è qualcosa nella sua impassibilità, anche lí, in manette, in mezzo a tutti che lo guardano, che fa paura.*

Viene arrestato Roberto Savi la sera del 21 novembre 1994.

Lo prendono in questura, a Bologna, mentre sta per montare in servizio. Lo distraggono, lo circondano in fretta e lo bloccano. E fanno bene, perché con sé ha due pistole e quattro caricatori. Aveva capito che le cose si stavano mettendo male. Quando lo prendono guarda i poliziotti che lo stanno arrestando e glielo dice chiaramente: «Potevo farvi saltare tutti in aria».

Qualche giorno dopo viene arrestato anche Fabio.

È scappato, ma non è riuscito ad andare lontano. È arrivato fino al confine con l'Austria cambiando vari mezzi, l'auto, il treno, l'autobus, l'ultimo pezzo anche a piedi. Una volante della polizia lo trova in un autogrill sull'autostrada, a 27 chilometri dal confine.

*Fabio invece è alto e grosso, con i capelli un po' ricci spettinati sulla testa. Sembra che abbia il gel. Ha le catene ai polsi e due carabinieri lo tengono per le braccia, e non è impassibile come suo fratello, lui.*

*Ride.*

Anche Fabio è armatissimo, ma non oppone resistenza e si lascia arrestare.

Con lui c'è la sua ragazza, una giovanissima ungherese che si chiama Eva Mikula. È lei che parla e racconta un sacco di cose. Sono anni che vive con Fabio e ne ha viste tante.

L'arresto di Roberto e Fabio è soltanto l'inizio.

Le indagini proseguono, sia a Rimini che a Bologna, dove sono condotte da un altro magistrato giovane, bravo e deciso, il sostituto procuratore Walter Giovannini.

Quello che emerge va oltre un romanzo giallo.

Fabio e Roberto hanno un fratello, Alberto, anche lui un poliziotto. Quando arrestano Fabio e Roberto, Alberto cade dalle nuvole.

«Non ci posso credere – dice, – che vergogna! Se è davvero lui il killer della Uno bianca farebbe bene a spararsi un colpo in testa!»

Qualche giorno dopo viene arrestato anche Alberto.

Non basta. La banda della Uno bianca non è finita.

C'è un altro poliziotto, Pietro Gugliotta, uno bravo, che ha lavorato a lungo sulle volanti. Lo arrestano vicino Modena, in un paesino in cui si è rifugiato. Finito? No, non ancora.

Marino Occhipinti, vicesovrintendente alla questura di Bologna.

E Luca Vallicelli, un altro poliziotto.

Sei persone, di cui cinque poliziotti in servizio. Altro che James Ellroy, altro che Trentesimo distretto del Bronx, il «Dirty Thirty», questo è molto peggio.

Questa è Bologna.

I processi alla banda della Uno bianca si aprono a Rimini e a Bologna a partire dal 1996, condotti per l'accusa dai sostituti procuratori Paci a Rimini e Giovannini a Bologna.

*Il repertorio mostra le immagini del processo. I magistrati e gli avvocati in toga, che parlano tra loro, i parenti delle vittime, che hanno tutti una faccia che fa pena, con un'espressione che non si capisce se sia piú il dolore o la rabbia. Ce n'è uno, con un forte accento romagnolo, che parla di suo figlio e piú che piangere ringhia, con la voce rotta.*

*«Ventisei anni aveva... una vita in mano, aveva... sono rimasto con niente, vorrei morire io... ma se c'è un Dio lassú, gliela fa pagare lui, mica io... o la legge».*

*Poi ci sono i fratelli Savi, che parlano tra loro dietro le sbarre della gabbia. Fabio Savi, quando si accorge di essere inquadrato dalla telecamera, alza la testa e ride.*

La banda viene riconosciuta colpevole di 103 azioni criminali compiute tra l'87 e il '94, con 23 morti e 102 feriti e un bottino complessivo di 2 miliardi e 170 milioni.

23 morti e 102 feriti.

103 azioni criminali tra rapine, omicidi e attentati che vengono divise in fasi.

La prima è quella piú artigianale. La banda usa un'auto di proprietà di Alberto Savi, una Regata grigia, e assalta soprattutto caselli autostradali. Colpiscono soprattutto all'alba e dopo le rapine vanno a fare colazione al mare.

Sono poliziotti e a un certo punto si trovano addirittura a indagare su loro stessi, facendo sopralluoghi e sorveglianza agli stessi caselli che hanno rapinato prima. Tentano anche un'estorsione ai danni di un poliziotto di Cesena. All'appuntamento ci va un'auto civetta della Mobile di Rimini che viene investita da una scarica di proiettili. L'ispettore Mosca, ferito, morirà qualche tempo dopo.

Un anno di rapine frutta appena 90 milioni e un casellante ferito. Perché lo fanno?

In parte per scherzo, dicono, in parte per pagare il mutuo della casa.

*La moglie di Roberto Savi è una donna dimessa e completamente anonima. La si vede inquadrata in un monitor, in tribunale, mentre depone. Tiene le spalle curve e le braccia strette tra le ginocchia, e parla un po' a scatti, esitante, mentre risponde al giudice.*

*«Come lei sa mio marito è un poliziotto e non guadagna piú di una certa cifra. Lui disse che... aveva intenzione di trovarsi un altro lavoro. E un giorno mi disse che... con i fratelli aveva deciso di fare questo secondo lavoro, insomma».*

*Cioè?, chiede il giudice.*

*«Tipo rapine, qualcosa del genere...»*

Un anno dopo il primo salto di qualità: la campagna delle Coop. Rapine ai supermercati di Bologna e dintorni, assalti ai furgoni portavalori effettuati con l'uso di esplosivo e una efficace e precisa tecnica militare. Anche qui il bottino è scarso, appena pochi milioni, ma ci sono già due guardie giurate e due carabinieri morti e nove feriti.

È con il '90 che inizia la fase piú feroce della banda della Uno bianca. Rapine alle banche e ai benzinai, attentati a nomadi ed extracomunitari, agguati a carabinieri e poliziotti, omicidi gratuiti. Cambiano le auto e anche le armi: arrivano la Uno bianca, le Beretta rubate all'armeria di via Volturno e il fucile d'assalto AR70, micidiale e precisissimo. Sedici morti e di nuovo pochi milioni.

L'ultima fase è quella delle rapine alle banche realizzate con l'esplosivo, soprattutto a Pesaro e nel riminese. C'è un morto, Ubaldo Paci, un direttore di banca che non voleva aprire l'agenzia e non voleva credere che Fabio Savi gli avrebbe sparato proprio lí, in mezzo alla strada, davanti a tutti.

È una strana banda quella della Uno bianca, ma soprattutto sono strani loro, i fratelli Savi, Roberto e Fabio. Gli altri, anche Alberto, sono sottoposti, accettati nella banda solo dopo aver compiuto la prova del fuoco, solo dopo aver sparato per uccidere, per restare legati al gruppo per sempre, e ammessi soltanto ad alcuni colpi. I veri capi sono loro, Roberto e Fabio, soprattutto Roberto. Freddo e lucidissimo. Al processo non muove un muscolo quando gli vengono contestati gli omicidi piú feroci e alle domande non risponde «sí» o «no», ma dice «negativo» e «positivo».

*L'accento di Roberto Savi è schiettamente riminese, con quella cadenza che fa scivolare la coda della frase. Chiude tutte le «e» e fa strisciare le «esse», come si fa in Romagna.*

*Il giudice gli chiede se conosceva Mitilini, Moneta e Stefanini, i carabinieri uccisi al Pilastro.*

*«No, negativo».*

*Gli chiede per quale ragione li hanno uccisi.*

*«Nessuna», dice «nesciuna», «non volevamo essere fermati».*

È un fanatico delle armi, un fanatico cattivo.

Quando lo arrestano nel garage di casa gli trovano un arsenale. Quando era in servizio sulle volanti ha arrestato un ragazzo, un tossicodipendente, e gli ha rasato tutti i capelli e per questo è stato trasferito alla centrale operativa.

Anche Fabio è un fanatico delle armi, un fanatico cattivo. Assieme agli altri della banda si allena di nascosto in due poligoni, uno in una villa nei dintorni di Bologna, l'altro in riva al fiume Marecchia. Secondo la moglie è un razzista fanatico. La donna lo ripeterà anche al processo, dirà: «Tutto quello che era negro, disabile, bisognoso, per lui non era niente, cioè, non sono persone». Lo dicevano anche loro: ogni tanto, passando in macchina, facevano sporgere il braccio dal finestrino e puntavano il dito su qualcuno.

Ideologicamente su posizioni di estrema destra, come il padre, Giuliano Savi, che confidava che il sogno della sua vita sarebbe stato far parte di Gladio, diceva di odiare zingari e negri ed era orgoglioso dei suoi figli che «sparavano da dio». Dopo l'incriminazione dei figli e dopo il sequestro di un piccolo arsenale, legalmente detenuto a casa sua, di fucili e pistole, Giuliano Savi si uccide, lasciando una serie di raccomandazioni alla famiglia e di maledizioni all'indirizzo dei magistrati.

*La moglie di Roberto Savi, sempre dimessa, le braccia tra le ginocchia.*

*«Io avevo molto timore di parlare, avevo molto timore per me e mio figlio. Diverse volte mi ha puntato la pistola contro e dopo mi diceva, non ci far caso, è scarica. Era una persona un po' strana mio marito...»*

Della famiglia, in un certo senso, fa parte anche Eva Mikula, la ragazza arrestata assieme a Fabio Savi al confine austriaco.

Eva Mikula è una ragazza rumena di 19 anni, che sta con Fabio da un po' di tempo. È un tipo interessante, Eva Mikula, un vero mistero.

*Eva Mikula è molto bella. Quando la prendono sembra una ragazzina, con i capelli biondi spettinati e una maglietta a righe, ma al processo ha un bel vestito blu, è pettinata, con i capelli tirati su, ed è davvero molto bella. Parla benissimo l'italiano, con appena un leggero accento slavo.*

*Il giudice le chiede cosa diceva Fabio sui carabinieri e lei sbatte un po' le ciglia, con lo sguardo intimidito, prima di parlare.*

*«Diceva che era gente che dava fastidio sul suo lavoro».*

*Anche nelle interviste è bella, sempre molto truccata.*

*«Ho sempre fatto in modo che non si accorgesse di quello che pensavo», dice di Fabio. «Per non fargli capire che a me non sta bene quello che fa lui. Certo dopo avrei rischiato la vita».*

*Stefano Tura, l'intervistatore, le chiede come faceva ad andare a dormire con uno che aveva appena ammazzato tre carabinieri. Eva si torce un po' le mani.*

*«E cosa dovevo fare? Chiamare il 113, dove lavoravano i suoi fratelli?»*

Sapeva ma aveva paura di parlare.

Per i fratelli Savi c'è di piú: la ragazza di Fabio avrebbe partecipato alla preparazione della rapina alla banca di Pesaro in cui era stato ucciso il direttore, Ubaldo Paci, e anche ad altre due.

Ma Eva Mikula è soprattutto una testimone a carico della banda e verrà assolta da tutte le accuse che la vedono complice di reati di sangue. Resta un personaggio discusso, almeno dai familiari delle vittime, soprattutto per una serie di foto erotiche su alcune riviste in cui viene definita «la biondina della Uno bianca».

I riscontri oggettivi, le testimonianze, le stesse ammissioni dei componenti della banda della Uno bianca si abbattono come un uragano sul tribunale di Bologna, che per molti di quei delitti aveva già condannato in primo grado 55 persone.

Scagionati per la strage del Pilastro Marco Medda, Massimiliano Motta e i fratelli Santagata. Scagionata una banda di malavitosi catanesi per alcune delle rapine alle Coop. Scagionato il presunto autore dell'omicidio di un testimone alla rapina di una Coop.

Per quasi dieci anni di delitti in Emilia Romagna c'è un solo autore: la banda della Uno bianca.

Ergastolo per Roberto, Fabio e Alberto Savi, ergastolo per Marino Occhipinti, diciotto anni a Pietro Gugliotta.

Caso chiuso.

E invece, è proprio a questo punto che nascono i dubbi.

*Il fratello di Mauro Mitilini.*

*Dice: «Nelle indagini ci sono state diverse lacune. Questo è stato appurato anche dalla commissione d'inchiesta che ha analizzato i fatti della Uno bianca. La fortuna della banda è che ogni volta che ci si avvicinava a uno dei componenti c'erano circostanze che li aiutavano. Le indagini non sono state fatte con oculatezza».*

Come c'era da aspettarsi, dopo la scoperta della banda l'uragano si abbatte anche sulla questura di Bologna. Il ministro degli Interni Roberto Maroni la definisce la «questura piú disastrata d'Italia». Forse esagera, in ogni caso l'inchiesta amministrativa condotta dal prefetto Achille Serra dà un giudizio molto duro sulla situazione dei vari uffici.

Ma non c'è solo questo.

Nel '90 il dottor Giovanni Preziosa, che dirige la sezione omicidi, ordina una serie di accertamenti sui possessori di un AR70, il fucile mitragliatore usato nei colpi della banda. Tra questi, regolarmente registrato, c'è un poliziotto di Bologna, Roberto Savi. Roberto lo viene a sapere, anzi, viene incaricato di collaborare alle indagini. Cosí corre in armeria e ordina un altro AR70, insiste per averlo perché non gli arriva, telefona quattro volte in tre giorni, poi finalmente ce l'ha e lo porta alla scientifica, nuovo e pulito. E la pista finisce lí.

Ancora. Già nel '91 i carabinieri di Pesaro erano arrivati a sospettare di un frequentatore del poligono, un poliziotto che andava spesso a sparare e somigliava a uno degli identikit. Quel poliziotto si chiama Alberto Savi. Ma a carico di Alberto, che viene definito da un'informativa del ministero degli Interni «un ottimo elemento», non emerge nulla e la pista finisce lí.

*Il dottor Capocasa.*

*Dice: «Noi ci siamo trovati all'inizio in difficoltà a dare alla banda un'identità ben precisa. Dobbiamo ricordare l'impermeabilità della banda all'esterno, e soprattutto quello che queste persone rivestivano. Questi erano all'interno di una struttura istituzionale e quindi avevano la possibilità di conoscere tutta l'attività di prevenzione e di repressione sul territorio. Inoltre erano dei perfetti conoscitori del territorio stesso. Roberto Savi faceva volante a Bologna, chi meglio di lui poteva conoscere le vie di fuga. Conoscevano le frequenze radio della polizia su cui sintonizzarsi. Anche il bottino, non è stato cosí rilevante da fargli cambiare tenore di vita, per cui non ha destato sospetti in noi che gli stavamo vicino».*

È vero, sono indagini difficili, continuamente depistate da Roberto che si trova a indagare sui suoi stessi crimini. Come in via Volturno, dove si presenta in divisa, subito dopo aver compiuto la rapina in armeria.

*Qui l'immagine di repertorio sarebbe incredibile anche per un film. Si vede il luogo della rapina, i portici di via Volturno segnati dal nastro bianco e rosso della questura teso tra le colonne, e proprio lí, tra i poliziotti, a guardare le vetrine dell'armeria, c'è lui, Roberto Savi, in divisa.*

Indagini che si sono concluse grazie a due altri poliziotti. Due bravi, decisi, concreti poliziotti di provincia che si sono trovati contro, dall'altra parte, altri poliziotti come loro.

*Baglioni.*

*Dice: «Sinceramente a quel punto io li consideravo criminali, persone che erano dall'altra parte... non li consideravo dei colleghi, assolutamente».*

*Costanza.*

*Dice: «La cosa antipatica mentre lo interrogavamo era fare il bel viso parlando di morti per non interromperlo. Dentro di me pensavo: brutto assassino».*

Ma ci sono altri dubbi, altri lati oscuri che lasciano perplesso qualcuno.

*La signora Zecchi.*

*Dice: «Non l'accettiamo molto volentieri la tesi che lo facevano solo per lucro, non si uccidono 24 persone e piú di 100 feriti solo per lucro... è una cosa che va al di là della nostra comprensione».*

Otto anni di Uno bianca, 103 azioni criminose per un

bottino di poco piú di 2 miliardi. Fanno 23 milioni a cc' po. Poco per un gruppo di criminali.

E poi, omicidi che non fruttano niente, come quello del campo nomadi. Strano per un gruppo di criminali.

Ancora, sempre le stesse armi e sempre le stesse auto. Assurdo per un gruppo di criminali.

*L'avvocato Moser è il legale dell'associazione che riunisce i parenti delle vittime della Uno bianca.*

*Dice: «Ci sono degli studi investigativi che sono all'attenzione della procura e che potrebbero aprire scenari diversi e condurre a quadri piú complessi. Sicuramente il personaggio piú ambiguo è Roberto Savi, il capo della banda, quello che ha dimostrato di avere delle caratteristiche operative piú singolari, anche per la sua formazione di poliziotto. Sapeva costruire gli esplosivi, era un ottimo tiratore, secondo Gugliotta aveva mimato mosse di conduzione di un aeromobile credibili, e Gugliotta aveva fatto un istituto tecnico di preparazione al volo. Un personaggio che ha delle ambiguità».*

E se non fossero un gruppo di criminali? Se fossero terroristi? Bologna ha già conosciuto episodi del genere. C'è stata la stazione, saltata per aria nell'80 con 85 morti, la strage del treno Italicus, del 904, Ustica.

E se dietro ci fosse qualcuno? Bastano la mancanza di coordinamento o gli errori degli investigatori a spiegare otto anni di incredibile impunità?

Ci sono alcune intercettazioni telefoniche di un informatore, che parla con ufficiali delle forze dell'ordine e dice che lui lo aveva già saputo da tre anni che erano poliziotti, ma quando lo ha detto gli hanno detto di lasciar perdere, che era meglio.

E c'è uno strano caso di depistaggio.

È il 1988 e sono stati appena uccisi i carabinieri Stasi ed Erriu davanti alla Coop di Castel Maggiore.

C'è un altro carabiniere che si chiama Domenico Macauda, che indirizza le indagini condotte dal sostituto procuratore Antonio Spinosa su alcuni abitanti del Pilastro, incensurati, che hanno una cascina nei dintorni di Bologna. La cascina viene perquisita e dentro si trovano cartucce 38 special dello stesso tipo di quelle trovate nella Uno bianca usata per il duplice omicidio.

Ma poco dopo, a essere arrestato è proprio il brigadiere Macauda. Si scopre che è stato lui a mettere un bossolo di 38 special nella macchina dei banditi e prima ancora di questo a mettere munizioni dello stesso tipo e droga nella cascina.

Perché lo fa? All'inizio Macauda dice che è stato per far carriera, per mettersi in luce. Poi dice che era per la taglia. Ma questa è stata resa nota solo dopo il depistaggio. E allora, perché lo ha fatto?

Non si sa. Il brigadiere Macauda viene condannato a otto anni per calunnia e detenzione di stupefacenti e il movente del suo depistaggio rimane oscuro.

C'è invece chi pensa che dietro la banda della Uno bianca non ci sia niente di piú di una banda di sanguinari rapinatori, che non hanno nulla a che fare con servizi segreti e oscure trame.

Non è vero intanto che usano sempre le stesse armi: le cambiano e limano i percussori per confondere le tracce. E se usano cosí tanto le Beretta 92F è solo perché, come dice Fabio Savi a Eva Mikula, «la Beretta non sbaglia mai». La Uno bianca all'inizio è solo l'auto piú comoda da rubare, senza antifurto, facile da mettere in moto con una carta telefonica ritagliata e molto diffusa, tanto da non dare nell'occhio. E se diventa un simbolo, tanto meglio.

A questo serve, a seminare il terrore per agevolare i colpi. Come uccidere a sangue freddo.

*Costanza.*
*Dice: «Dopo aver fatto una rapina da cento milioni e dopo quindici vanno a rapinare un distributore e sparano, perché hanno gambizzato il gestore. A noi non ci tornavano questi parametri e cosí glielo abbiamo chiesto. Avevamo bisogno di adrenalina, ci hanno detto, non si facevano di droga, ma di adrenalina, per questo sparavano. È pazzesco ma è cosí».*

E poi, un servizio segreto, un'entità eversiva, si fiderebbe dei Savi? Che si tengono in casa tutte le armi compromesse con i colpi? Che se le tengono addosso, come Fabio Savi, che viene arrestato con la Beretta rubata in via Volturno sotto la giacca. Se quella pistola fosse sparita, se Fabio fosse riuscito a scappare con una fuga meno improvvisata di quella, i vari delitti non sarebbero mai stati collegati e la banda della Uno bianca, nella fantasia di tutti, sarebbe ancora potenzialmente in giro.

Può darsi, forse. Però, però... questa storia resta sempre molto strana.

*La signora Zecchi.*
*Dice: «L'unica cosa che ci preoccupa è che tra due anni potrebbero uscire in permesso. Ci preoccupa, perché durante l'iter processuale noi siamo stati tutti minacciati, tutti. O per telefono o per altre cose. Di conseguenza siamo anche un po' preoccupati».*

È questa la vicenda della Uno bianca, la storia piú incredibile che si possa immaginare. Cosí incredibile che anche le conclusioni possono essere lette in due modi diversi e opposti. Chi sono i Savi? Chi sono quelli della Uno bianca?

Rapinatori che usano metodi terroristici o terroristi che compiono rapine? Criminali di provincia che ammazzano la gente solo per odio personale o perché vogliono provare le armi, o pedine cavalcate e manovrate per terrorizzare, destabilizzare una città scomoda come Bologna?

Se fosse un romanzo lo sapremmo, scriveremmo la fine che ci piace di piú e saremmo soddisfatti. Ma questa è realtà, e tra le tante cose è anche la storia di una città.

Di un giovane carabiniere che era contento di essere stato trasferito a Bologna e di un anziano bolognese, che come tanti bolognesi era fatto cosí, non riusciva a stare zitto, a non gridare chiamate la polizia vedendo una rapina.

*Fabio Savi è dietro le sbarre della gabbia, in tribunale, durante il processo. Il sole che entra da una finestra gli disegna strane ombre sul volto. L'intervistatore gli chiede se ci sono i servizi segreti dietro la Uno bianca.*

*«Dietro la Uno bianca?» risponde Fabio, col suo accento riminese. «Dietro la Uno bianca c'è soltanto i fanali, il paraurti e la targa».*

*Ringraziamenti*

Se già a scrivere questo libro non sono stato solo, avendo avuto la cura paziente e appassionata dello staff di Einaudi Stile libero, figuriamoci se avrei potuto esserlo nel fare il programma da cui questo libro è nato. Io avevo scritto i testi e stavo davanti alla telecamera a parlare, ma dietro, sopra e attorno c'erano Giuliana Catamo e Paola De Martiis come autrici, assieme a Simona Carcasi e Ludovica Oddi in redazione, Lorenzo Hendel, Fabio Sabbioni e Stefano Chimisso alla regia, Sandro Patrignanelli alla fotografia, Tommaso Vinciguerra al montaggio, Alessandro Molinari alle musiche, Luigi Villano alla scenografia con Federico Angeli, ETABETA alla produzione e all'organizzazione con Carlo Quattrocchi, Paola Vivarelli ed Elda Casula, tanti bravissimi tecnici del suono, elettricisti, macchinisti e operatori, sia in studio che fuori. Poi anche Gabriella Carosio e Roberto Cereda, che allora erano capostruttura e direttore di Rai3.

E ancora, se fossimo stati soltanto noi, non saremmo andati molto avanti, e questo libro, soprattutto, non esisterebbe proprio, senza le inchieste, i dossier e le dritte del *team investigativo*, di un maestro come Francesco La Licata, della «Stampa», di grandi come Guido Ruotolo, ancora della «Stampa», e di Vincenzo Vasile, dell'«Unità», e di un giovane mastino come Nicola Biondo di «Avvenimenti» e altro. Neanche loro erano soli, avendo avuto, caso per caso, la collaborazione di giornalisti di esperienza e di passione come Aldo Varano («Graziella Campagna» e «La strage di Gioia Tauro»), Leo Sisti («Sergio Castellari»), Carlo Gariboldi («Enrico Mattei» e «Mauro De Mauro») e Lirio Abbate («Mauro De Mauro»). Senza dimenticare la consulenza legale dell'avvocato Giuseppina Bonito, dello studio Flamminii Minuto.

E alla fine, se ci fossero stati soltanto tutti questi, comunque non avremmo combinato niente, e forse neppure questo libro, senza tutti quelli che che hanno fermato il dito sul telecomando o hanno aspettato fino a tardi per guardarci e che poi hanno anche scritto, in parecchi. Soprattutto quelle lettere e quelle e-mail molto preoccupate e spesso anche davvero arrabiate per cose che sapevano ma che avevano dimenticato, o non sapevano cosí a fondo, o non sapevano per niente e neanche le avevano sentite nominare, ma erano comunque cosí, molto preoccupati e anche arrabbiati, per come sono potute andare e ancora vanno le cose in questo strano e assurdo Paese di misteri e di segreti.

Se un po' di quella rabbia e di quella preoccupazione nascono anche da questo libro, io sono contento.

L'ho scritto anche per questo.

## *Postfazione*

## Misteri & dintorni
*di Giorgio Boatti*

Si fa presto a dire mistero. Ma appena si cerca di darne una passabile definizione – anche solo attingendo alla consultazione di un buon dizionario – ci si imbatte in un bivio. Anzi, tanto per complicare subito le cose, in un trivio.

Secondo la teologia cristiana mistero è tutto ciò che ci giunge attraverso la rivelazione divina e non può essere conosciuto e compreso attraverso l'umano intelletto. Messaggio dunque a cui la fede pone i propri sigilli. Si può credervi oppure respingerlo al mittente. Ma tentare di forzarlo utilizzando i legnosi strumenti del razionale procedere è come voler afferrare il suono delle nuvole. O scaldarsi le mani al freddo bagliore di un fuoco fatuo.

Il secondo significato è quello che emerge dalla tradizione pre-cristiana in cui i misteri sono forme religiose che presuppongono un procedere della conoscenza attraverso un'iniziazione. Tale da vincolare l'adepto a un segreto che salda in un legame inscindibile tutti coloro che vengono ammessi a condividerlo.

La terza definizione è quella che da tempo è entrata nel linguaggio comune, svincolata dunque da connotazioni mistico-religiose e qui è misterioso ogni fenomeno finché si sottrae a una comprensione scientifico-razionale. Ogni evento che sfugge a un'obiettiva ed esaustiva ricostruzione che metta a fuoco articolatamente tutti gli aspetti che lo compongono. Da questo punto di vista è qualcosa che appone al suo esserci e permanere una data di scadenza: quella del giorno in cui, infranto il segreto, viene anche svelato quanto è fino a quel momento celato nel mistero.

Bene ha fatto, alla luce di queste premesse, Carlo Lucarelli a definire la sua caparbia e vigorosa navigazione attraverso gli scampoli sommersi della nostra vicenda nazionale come un tragitto attraverso i misteri – non i segreti – d'Italia. Misteri, quelli che vengono affrontati nei capitoli di questa sua ricostruzione, che sono tali secondo una visione laica e dunque misteri del terzo tipo che si sottraggono alla conoscenza solo fino a quando le domande che vengono via via a porsi non troveranno risposte adeguate. Fino a quando non saranno sconfitti i guardiani di segreti. Incaricati di proteggere l'intossicato scrigno loro affidato con ogni mezzo – dalla disinformazione trasformata nell'arte sopraffina di assemblare spezzoni di realtà in una verosimile parodia della verità sino al brutale diniego. Di cosa? Ma è ovvio, dell'esistenza dei segreti stessi che, proprio perché sono avvolti dal mistero, costituiscono gli inaccessibili *sancta sanctorum* del potere.

Qui, in queste pagine, nel procedere dei capitoli che allacciano in un fitto intreccio quarant'anni di storia italiana (il caso Mattei è dell'ottobre 1962), si susseguono molte domande e significative risposte attorno a storie che qualcuno preferirebbe fossero consegnate per sempre all'amnesia collettiva.

O alla prudente e pavida elusione di una classe dirigente che nel suo eterno tramandarsi si attiene a una sola bussola: quella che – come ha spiegato Canetti – è ben consapevole di come il segreto sia il nocciolo interno di ogni potere. E infrangerlo significa mettere a nudo il battito del cuore nascosto e indicibile che risuona dentro il Palazzo. E pervade, ancora di piú, le segrete stanze degli apparati della sicurezza, della politica, della finanza.

Laddove possono anche succedersi nel tempo generazioni diverse di professionisti dell'ordine e del disordine pubblico, operatori della destabilizzazione e dell'alchemico procedere che vuole che qualcosa cambi – in peggio – perché nulla cambi, spegnitori di vite, facitori di trame, avventurosi cavalcatori di malloppi in perenne movimento tra un paradiso fiscale e l'altro, gelidi registi dell'eterno fluire del grande bottino universale tramutatosi da denaro a ricchezza e quindi in sempre piú immateriale narcotico capace di ipnotizzare governi, paralizzare nazioni, infiammare conflitti.

Ma, alla fine, gli uomini che nel corso del tempo s'accollano questi ruoli conservano inalterato il marchio originario, l'istinto primordiale, l'atavico e collaudato modo di pensare e di agire che entra in azione non appena iniziano ad aggirarsi nei labirinti degli *arcana imperii*.

A questo punto credere che affrontare il mistero e dunque scalfire o addirittura mettere a nudo il segreto consista principalmente nello scalare con cronologica precisione e cronachistica professionalità il rosario degli eventi sommersi che scandiscono la storia indicibile di un Paese è riduttivo.

Forse è attività terapeutica verso le amnesie ma da utilizzare con sapiente intuito («bisogna abbracciare il caos con leggerezza», insegnava Sebastian Matta). Altrimenti si rischia di perdersi – come è capitato talvolta a qualche nostrano cacciatore di trame ed esploratore di piste – nelle suburre della mera cronologia complottistica. Viale del Depistaggio (a dodici corsie, ovviamente) che si dirama da Piazza delle Stragi. Vicolo del Suicida Tempestivo che procede dalla Salita dei Conti Occulti e dalla Piazza delle Liste Scomparse (siamo un Paese dove le Liste, come strumento di ricatto, hanno sempre contato: dall'elenco dei 631 informatori dell'Ovra palleggiato nel 1946 tra i padri della Repubblica ai 530 del tabulato Sindona o all'albo degli iscritti alla P2 di cui si parla in questo libro).

Fare cronologia («i numeri, signore, i numeri», si ammonisce nella biografia che la fedele penna di James Boswell delinea del dottor Johnson) e fare memoria sono indispensabili, ovviamente. E bene fa Lucarelli a non prescindere mai da questo aspetto rigorosamente evenemenziale.

Ma Lucarelli per fortuna va oltre. E chi lo ha seguito in video, chi lo legge in questo testo viene allertato subito. Sin dalle prime battute del caso che viene rievocato:

«Se fosse un romanzo sarebbe – dice Lucarelli, – un libro di Puzo, o di Grisham, o di Camilleri...»

E ancora aggiunge Lucarelli: «Se fosse un film sarebbe... ma quanto accade è molto di piú...» Di piú cosa? Di piú quanto?

Ricomporre con caparbia intelligenza l'articolarsi dei fatti significa confrontarsi con un apparente paradosso. Ovvero che passaggio dopo passaggio gli eventi narrati mostrano evoluzioni, snodi, collegamenti, invenzioni capaci di superare qualsiasi creazione narrativa. Qualsiasi *fiction*, anche la piú vertiginosa, si mostra alla fine incapace di stare al passo con l'immensa varietà e complessità del reale accadere, con le concrete modalità che ne costituiscono lo svolgimento.

Modalità: parola decisiva. Concetto che percorre tutti i casi narrati. E che con sapiente senso del tragitto che assieme si sta percorrendo non viene mai esplicitamente sottolineato. Poiché Lucarelli sa, come sanno i pochi che davvero hanno esplorato il contaminato territorio dove sono sepolti i segreti, che le verità strappate e fatte emergere non hanno bisogno di nessuna ridondanza né di commenti. Parlano da sole e non hanno bisogno di chiose né di interpretazioni forzate.

Eventi e modalità dei misteri d'Italia. Ovvero, nel difficile lavoro dei dipanatori di trame, l'*hardware* e il *software*.

Un *hardware*. Dunque vicende che pur nel loro dispiegarsi, cosí fantasioso e talvolta incredibile da superare ogni *fiction* (suicidi che si sparano due volte e poi, prima di morire, rinfoderano l'arma; reperti decisivi – come ad esempio i rottami dell'aereo che si schianta con Mattei a bordo – che vengono scrupolosamente lavati prima di essere esaminati e cosí via folleggiando...) determinano fatti concreti. Frutto di un'azione che nasce all'interno di strutture tangibili, organizzazioni poderose, organici di personale, dispiegamenti logistici, mezzi economici. Tutte cose che, seppur spesso celate, ci sono. Afferrabili e materializzatesi con indiscussa concretezza.

Innervato in questo accadere c'è qualcosa d'altro. Quello che si può definire il *software*, il come condurre in porto certe particolari vicende. L'arte di pianificare e portare a compimento determinate azioni dando loro una pilotata valenza di lettura.

Questo *software* non s'improvvisa. È il *know-how* che un apparato, ogni apparato di potere interno alle segrete cose, produce nel suo esserci e divenire.

È costituito dunque da un «sapere» nutrito e implementato dal sovrapporsi delle esperienze passate, diffuso tra i suoi componenti, circoscritto rigidamente nella sua conoscenza e praticabilità entro i confini dell'organizzazione coinvolta. È il padroneggiare (ma forse sarebbe piú esatto dire che è lo scorgere con uno sguardo interno) il modo con cui certe cose avvengono. Si ripetono.

Qualcuno ha scritto che è scommessa assai perigliosa trovare le giuste risposte a quesiti difficili, protetti dal segreto, avvolti nel mistero. Ma ha aggiunto che per stringere in questo campo risultati ineludibili l'elemento decisivo è dato dalle domande che si pongono. Dal modo con cui le si dispiega sino a stringere d'assedio e a conquistare la verità che si sottrae alla nostra ricerca.

Le domande che questo libro pone – avanzando caso dopo caso lungo i capitoli dolenti di una storia italiana che pur appartenendo al recente passato non è affatto ancora trascorsa (non siamo forse il Paese dove il passato non passa?) – sono costituite da interrogativi che portano il sigillo della semplicità. Di quella che apparentemente è l'ingenuità di chi s'appresta a sfidare forze immensamente superiori alle sue forze ma è sorretto dalla formidabile intuizione che le storie segrete non s'improvvisano nel loro farsi. Non producono solo eventi, quelli che vediamo. Ma sono pervase da una filigrana sommersa che è il marchio di fabbrica, il sigillo che lo sguardo deve abituarsi a intravedere, a catturare, a portare alla luce.

Nei *Misteri d'Italia* Lucarelli assolve proprio a questo compito che non è solo di civile conoscenza di un passato dimenticato o eluso ma di costruzione di un sapere collettivo che aiuti a comprendere (cioè letteralmente a prendere con noi) il passato.

Bisogna transitare da qui, da queste strettoie che si diramano tra eventi e modalità, per posare lo sguardo su un panorama di cose segrete che ci sono, ci sono state, anche se per lungo tempo si sono sottratte allo sguardo dell'opinione pubblica, dei media, degli organismi rappresentativi della nostra democrazia.

Un esempio?

Lo snodarsi della catena di comando nelle azioni sommerse.

Qui non si può che riandare alla teoria dei cerchi concentrici avanzata da Corrado Guerzoni e riportata scrupolosamente da Lucarelli nelle pagine sul caso Mattei:

«Non è che l'onorevole X dice ai servizi segreti di andare l'indomani mattina a piazza Fontana e mettere una bomba... a livello piú alto si dice che il Paese va alla deriva, che i comunisti finiranno per avere il potere. Al cerchio successivo si dice: guarda che sono preoccupati. Che cosa possiamo fare? Dobbiamo influire sulla stampa. Cosí si va avanti sino all'ultimo livello, quello che dice ho capito e succede quello che deve succedere...»

Parole e intuizioni di Corrado Guerzoni, addentro alle segrete cose in quanto fedelissimo collaboratore per anni di Aldo Moro. Dunque un professionista della politica e non un paranoico a caccia di complotti. Non un sovversivo impegnato a dipingere in nero la realtà.

Lo snodarsi della catena di comando. L'apparente siderale distanza con cui i potenti maneggiano i segreti che possono esplodere e la cui conoscenza e gestione con tecnica sperimentata nei secoli (ne sapeva qualcosa Richelieu con le segrete committenze alla sua eminenza grigia, padre Giuseppe) viene affidata a collaboratori fedeli ma defilati. Professionisti che possono andare a fondo tranciando ogni traccia del legame tra il *deus ex machina* e le azioni che producendosi a suo vantaggio e protezione potrebbero essere fatte risalire al suo conosciuto *entourage*.

La fabbricazione, in simultanea con un determinato agire, di storie di copertura che «just in time» elaborano già una seconda, una terza verità assai verosimile. E troppe verità, si sa, uccidono la verità vera. L'unica possibile.

E ancora e ancora il consapevole sovrapporsi di piú mani nella realizzazione di determinate operazioni, dove – proprio come in un notissimo disegno di Escher – si vede appunto un foglio su cui una mano sta vergando qualcosa. E questa mano viene guidata nel suo scrivere da un'altra mano. E forse sopra questa ve ne sono altre ancora che non sono ancora state colte dallo sguardo che coglierà invece quelle parole scritte e quella prima mano che sembra averle vergate.

Procedere lungo i misteri d'Italia, come fa Lucarelli in questo libro, significa acquisire questo sguardo capace di cogliere tutti questi aspetti, queste modalità che percorrono gli eventi.

È un lavoro difficile e il suo senso piú profondo non sta solo nel consentire di riaprire pagine di un passato che non passa. C'è un altro aspetto fondamentale – in questo lavoro – e riguarda il presente e il futuro.

È la capacità di fornire ai cittadini, quelli che non accettano amnesie ed elusioni e non si rintanano nei rifugi della complottologia, della dietrologia, della *conspirancy* come direbbero i siti della rete dedicati al mondo nascosto delle cospirazioni, di disporre di una sorta di kit della trasparenza che li educa a guardare attraverso la notizia, a soppesare gli eventi, a misurare protagonisti e comprimari della cronaca e della storia con lungimirante intelligenza e disincantata avvedutezza.

La democrazia, quella vera, nasce dalla conoscenza dei fatti e delle modalità interne del loro accadere. Lucarelli – da scrittore civile quale è sempre stato ed è – non ha discostato da sé questo difficile compito. Sta ai lettori, ora, farne tesoro.

*Indice*

*Stampato per conto della Casa editrice Einaudi*
*presso Mondadori Printing S.p.A., Stabilimento N.S.M., Cles (Trento)*

C.L. 15445

| Edizione | Anno |
| --- | --- |
| 9 10 11 12 13 14 15 | 2006 2007 2008 2009 |

# Einaudi Tascabili. Stile libero

*Acidi scozzesi. Racconti* (di Legge, Meek, Reekie, Hird, Welsh e Warner).
Acitelli, *La solitudine dell'ala destra.*
Adinolfi, *Mondo exotica. Suoni, visioni e manie della Generazione Cocktail.*
Albanese, Santin, Serra (Michele) e Solari, *Giú al Nord. Perego, Alex Drastico, l'Uomo di fumo, il professore e altri monologhi.*
– anche con videocassetta.
Almodóvar, *Tutto su mia madre* (4ª ed.).
Altan, *Anni frolli* (2ª ed.).
Ames, *Io e Henry.*
Ammaniti, *Branchie* (9ª ed.).
– *Io non ho paura* (10ª ed.).
Angot, *L'incesto.*
Antonelli e De Luca, *Fuori tutti. Una generazione in camera sua.*
Arena, De Caro, Troisi, *La smorfia.* A cura di L. Arena.
– anche con videocassetta (11ª ed).
Baldini, Lucarelli, Rigosi, *M.T. Medical Thriller* (2ª ed.).
*Battuti & Beati.* A cura di E. Bevilacqua (2ª ed.).
Bedford, *Black cat.* Serie noir.
Bender, *Grida il mio nome.*
Benigni, *E l'alluce fu. Monologhi & gag* (7ª ed.).
Benigni e Cerami, *La vita è bella* (6ª ed.).
– anche con videocassetta (2ª ed.).
Bevilacqua (E.), *Beat & Be bop.* Con compact disc.
Blady e Roversi, *Quel poco che abbiamo capito del mondo facendo i Turisti per caso.* (8ª ed.).
Blincoe, *Acidi accidentali. Il romanzo di una generazione in transito.* Serie noir.
Blumir, *Marihuana. Uno scandalo internazionale.*
Boccadoro, *Musica Cœlestis.* Con compact disc.
Boyle, *Se il fiume fosse whisky.*
Brautigan, *102 racconti zen* (2ª ed.).
Bunker, *Cane mangia cane* (3ª ed.).
– *Come una bestia feroce.* Serie noir. (6ª ed.).
– *Educazione di una canaglia* (4ª ed.).
Burton, *Morte malinconica del bambino ostrica e altre storie* (4ª ed.).
Cain, *Mildred Pierce.* Serie noir.
Canu, *Lettera a mia figlia sulla Terra.*
Carver, *Il mestiere di scrivere. Esercizi, lezioni, saggi di scrittura creativa.* A cura di W. L. Stull e R. Duranti (5ª ed.).
Celi, *Salvare le modifiche prima di chiudere?*
Cerami, *Consigli a un giovane scrittore* (9ª ed.).
– *Fattacci* (2ª ed.).
Cerami e Piovani, *Canti di scena.* Con compact disc.
Cerami e Ziche, *Olimpo S.p.A* (2ª ed.).
– *Olimpo S.p.A. Caccia grossa.*
Ciabatti, *Adelmo, torna da me.*
Cooper (Dennis), *Frisk* (3ª ed.).
*I corti. I migliori film brevi da tutto il mondo.* Con videocassetta (2ª ed.).
Crepet, *Non siamo capaci di ascoltarli* (11ª ed.).
Crumley, *La terra della menzogna.* Serie noir.
*Cuori elettrici. L'antologia essenziale del cyberpunk* (di Gibson, Ferret, Cadigan e altri). A cura di D. Brolli.
Dalla, *Parole e canzoni.* A cura di V. Mollica. Con videocassetta.
Dazieri, *La cura del gorilla.* Serie noir (2ª ed.).
De André, *Parole e canzoni.* A cura di V. Mollica. Con videocassetta (5ª ed.).
De Cataldo, *Teneri assassini.*
– *La spartizione.*
De Filippo, *Natale in casa Cupiello.* Con videocassetta.
– *Filumena Marturano.* Con videocassetta.

Del Giudice e Paolini, *Quaderno de I-TIGI*. Con videocassetta.
De Simone, *La gatta Cenerentola*. Con videocassetta (2ª ed.).
Despentes, *Scopami* (2ª ed.).
*Disertori. Sud: racconti dalla frontiera*. A cura di G. De Angelis.
Ellekappa, *Le nostre idee non moriranno quasi mai* (3ª ed.).
Englander, *Per alleviare insopportabili impulsi* (4ª ed.).
Estep, *Diario di un'idiota emotiva*.
Evangelisti, *Black Flag* (2ª ed.).
Fearing, *Il grande orologio*. Serie noir.
Fo, *Manuale minimo dell'attore*. A cura di F. Rame.
– *Lezioni di teatro*. A cura di F. Rame. Con videocassetta (2ª ed.).
– *Marino libero! Marino è innocente!* A cura di F. Rame.
– *Mistero buffo*. A cura di F. Rame. Con videocassetta (3ª ed.).
– *Lu santo jullàre Françesco*. A cura di F. Rame. Con videocassetta (3ª ed.).
Fossati (Ivano), *Carte da decifrare*. A cura di P. Cheli. Con compact disc.
Frodon, *Conversazione con Woody Allen*.
Gaber, *Parole e canzoni*. A cura di V. Mollica. Con videocassetta.
Gavronski, *Guida al volontariato*.
*Gioventú cannibale*. A cura di D. Brolli (7ª ed.).
*Sfiga all'OK-Corral. Il grande gioco dei titoli*. Con la regia di S. Bartezzaghi (2ª ed.).
Gnocchi, *Sai che la Ventura dal vivo è quasi il doppio?*
Governi, *L'uomo che brucia*.
Guccini, *Parole e canzoni*. A cura di V. Mollica. Con videocassetta (2ª ed.).
*Hip hop italiano, la CNN dei poveri*. A cura di P. F. Pacoda. Con compact disc.
Jarmusch, *Ghost Dog. Il codice segreto del samurai*. Con videocassetta.
Johnson, *Jesus' Son*.
Labranca, *Chaltron Hescon. Fenomenologia del cialtronismo contemporaneo*.
Landi, *Manuale per l'allevamento del piccolo consumatore* (2ª ed.).
Lansdale, *Il mambo degli orsi*.
Latimer, *La Dama della morgue*. Serie noir.
Lee, *Spider-Man. Le storie migliori 1962-2002*. A cura di M. M. Lupoi.
Lennon, *Vero amore*. A cura di Y. Ono.
Lucarelli, *Almost Blue* (13ª ed.).
– *Il giorno del lupo* (7ª ed.).
– *Un giorno dopo l'altro* (7ª ed.).
– *Guernica* (4ª ed.).
– *L'isola dell'angelo caduto* (3ª ed.).
– *Lupo mannaro*. Serie noir (4ª ed.).
– *Mistero in blu* (4ª ed.).
– *Falange armata*. Serie noir (2ª ed.).
Luther Blissett, *Q* (5ª ed.).
– *Totò, Peppino e la guerra psichica 2.0*.
Macchiavelli (Loriano), *Fiori alla memoria*. Serie noir. (2ª ed.)
Magnus, *Lo sconosciuto* (2ª ed.).
Malerba, *La composizione del sogno*.
Manara, *Pin-up art*. A cura di V. Mollica (2ª ed.).
Manchette, *Nada*. Serie noir.
– *Piccolo blues*. Serie noir.
March e Spiegelman, *The Wild Party*.
Marx (Groucho). *O quest'uomo è morto, o il mio orologio si è fermato* (4ª ed.).
Martínez de Pisón, *Strade secondarie*.
Mattotti e Kramsky, *Jekyll & Hyde*.
Mattotti e Piersanti, *Stigmate*.
Mian Mian *Nove oggetti di desiderio* (2ª ed.).
Miller (Rex), *Slob*.
Mollica, *Fellini: parole e disegni*.
Mozzi, *Fantasmi e fughe*.
*Muhammad Ali. Quando eravamo re*. Con videocassetta.
Nora K. e Hösle, *Aristotele e il dinosauro. La filosofia spiegata a una ragazzina* (2ª ed.).
Nori, *Bassotuba non c'è* (2ª ed.).
– *Spinoza*.
– *Diavoli*
– *Grandi ustionati*.
– *Si chiama Francesca, questo romanzo*.
Norman & Monique, *La storia di un amore nato nel ciberspazio*.
Nove, *Puerto Plata Market* (3ª ed.).
– *Superwoobinda* (2ª ed.).
– *Amore mio infinito* (3ª ed.).

O'Connor (Joseph), *I veri credenti* (4ª ed.).
- *Cowboys & Indians*.
O'Connor (Flannery), *Sola a presidiare la fortezza. Lettere*. A cura di O. Fatica.
Onofri (Sandro), *Registro di classe* (5ª ed.).
- *Cose che succedono*.
Orengo (Nico), *Spiaggia, sdraio e solleone*.
Orengo (Valentina) - Positano, *Singles*.
Ovadia, *L'ebreo che ride. L'umorismo ebraico in otto lezioni e duecento storielle*.
- anche con videocassetta (9ª ed.).
- e Cantoni, *Ballata di fine Millennio*. Con compact disc.
- *Vai a te stesso* (2ª ed.).
Paolini, *Vajont 9 ottobre '63*. Con videocassetta (10ª ed.).
- *Bestiario italiano*. Con videocassetta.
- *I cani del gas*.
Parks, *Questa pazza fede. L'Italia raccontata attraverso il calcio* (3ª ed.).
Pascale, *La città distratta* (2ª ed.).
Pazienza, *Paz. Scritti, disegni, fumetti*. A cura di V. Mollica (7ª ed.)
Pincio, *Un amore dell'altro mondo* (2ª ed.).
*Quello che ho da dirvi*. A cura di G. Caliceti e G. Mozzi.
Rahimi, *Terra e cenere* (2ª ed.).
Raphael, *Eyes Wide Open*.
Raynal, *Cercando Sam*. Serie noir (2ª ed.).
Ricci, *Striscia la tivú. Comicità, spettacolo, informazione*. A cura di N. Orengo.
- *Spinoza*. anche con videocassetta.
Rigosi, *Notturno bus*. Serie noir.
Romano (Livio), *Mistandivò*.
Rosen, *Il Talmud e Internet*.
*Saggezza Stellare. Racconti soprannaturali per il Nuovo Millennio* (di Ballard, Burroughs, Campbell e altri). A cura di D. Brolli.
Saunders, *Pastoralia*.
Scarpa, *Cos'è questo fracasso? Alfabeto e intemperanze*.
Soriano, *Ribelli, sognatori e fuggitivi*.
Spiegelman, *MAUS* (5ª ed.).
Stancanelli, *Benzina* (2ª ed.).
- *Le attrici*.
Strehler, *Arlecchino servitore di due padroni*. Con videocassetta.
Stuart, *Zona di guerra*.
Symmes, *Sulle orme del Che*.
Thompson (Jim), *Bad Boy*. Serie noir.
*Topolino noir*.
*Totò e Peppino e... (ho detto tutto)*. Con videocassetta. A cura di L. Arena.
Trevisan, *I quindicimila passi* (2ª ed.).
Vacca (Roberto), *Consigli a un giovane manager*.
Vallorani, *Eva*.
Vargas Llosa, *Lettere a un aspirante romanziere*.
Vecchioni, *Parole e canzoni*. A cura di V. Mollica. Con videocassetta.
Vinci, *Dei bambini non si sa niente* (6ª ed.).
- *In tutti i sensi come l'amore* (3ª ed.).
Wallace, *La ragazza con i capelli strani*. (3ª ed.).
- *Brevi interviste con uomini schifosi* (3ª ed.).
Wenders, *Buena Vista Social Club*. Con videocassetta.
Winter, *Corri*! Serie noir.
Wolff, *Proprio quella notte*.
- *Il colpevole*.
Woolrich, *Appuntamenti in nero*. Serie noir.
Wu Ming, *54* (4ª ed.).
Yu Hua, *Torture*.
Zaimoglu, *Schiuma*.
Zavattini, *Io. Un'autobiografia€*
Zolla, *Il dio dell'ebbrezza. Antologia dei moderni Dionisiaci* (2ª ed.).